COMMENT DÉVELOPPER
VOTRE SIXIÈME SENS

Dans la même collection

- *Comment utiliser les pouvoirs de votre esprit,*
  Dr. Joseph Murphy

Jean-Baptiste Delacour

comment développer votre sixième sens

INTER

MONTRÉAL   NEW-YORK   PARIS

Distribution exclusive :
QUÉBEC LIVRES
4435, boul. des Grandes Prairies
Montréal (Québec)
(514) 327-6900

Traduit de l'allemand par Johanne Zumstein sous la direction
de Jean-Pierre Fournier

Dépôt légal : Bibliothèque nationale du Québec
2e trimestre 1984

ISBN 2-920670-03-4

TABLE DES MATIÈRES

AVANT-PROPOS   11

INTRODUCTION : **La parapsychologie, science révo-
lutionnaire**.   15
- Les étapes importantes de l'histoire de la para-
psychologie.   17
- Champ de recherche et résultats   19
- Une révolution à la limite du savoir   21

CHAPITRE I : **Les facultés mentales de l'homme aug-
mentent**.   23

CHAPITRE II : **Clairvoyance et lecture de pensée sont
à la portée de tout le monde**   31
- Ma fille m'appelait.   33
- Disparu !   37
- Les vingt-six heures tragiques   41
- Le cerveau humain : émetteur et récepteur   44
- Des images du rêve persistent sur la rétine   48
- Des événements indélébiles au niveau cos-
mique ?   50
- L'homme dans l'express de la vie.   52
- La vision de l'avenir.   54

CHAPITRE III : **Exercices préparatoires pour une ou
deux personnes**   57
- Expériences significatives ; résultats encoura-
geants.   59
- Apprentissage et exercices   60
- Expériences avec partenaires   63
- Comment procéder aux expériences ?   64

● Les auxiliaires de la précognition 69
● Les expériences d'Upton Sinclair............. 72
● La télépathie de groupe..................... 74
● La clairvoyance : une affaire d'entraînement... 75
● Une énergie mystérieuse.................... 76
● Les cheveux comme antennes 78

CHAPITRE IV : **L'auto-apprentissage de la télépathie
et la clairvoyance** 83
● Des exercices faciles aux plus difficiles 85
● Sept règles de base 87
● Test d'aptitude 89
● L'idée K 90
● Pourquoi tous en sont capables.............. 92
● Trois points sensibles..................... 95
● Les règles de base de la clairvoyance........ 98
● La machine à lire les pensées.............. 98

CHAPITRE V : **La télépathie : l'arme de demain** 101
● La future langue de l'espace................. 103
● Émetteurs et récepteurs de pensée........... 104
● L'espionnage et la télépathie 105
● L'influence des ondes mentales sur les animaux 109
● L'influence de la télépathie sur les plantes..... 111
● Les phénomènes paraphysiques............. 114
● La téléhypnose 117
● Un pont qui enjambe l'univers............. 118

CHAPITRE VI : **Le connu et l'inconnu** 119
● La « toute-puissance » des ondes mentales..... 121
● L'énigme de la langue des esprits 122
● La communication avec les morts........... 123
● Le mystère du troisième œil................ 127
● La pensée meut des objets sans contact....... 130
● La télépathie sidérale...................... 133
● La radio mentale dans le monde de demain... 137
● La fonction interdimensionnelle des neutrons.. 139

CHAPITRE VII : **Des médiums célèbres racontent :**
                « J'ai la vision seconde» 143
- Comment ils découvrirent leurs talents ; Comment ils expliquent le phénomène parapsychologique de la clairvoyance 145
- Madame Buchela 146
- Jeane Dixon 149
- Pasqualina Pezzola 151
- Madame Soleil 153
- Hakim 155
- Madame Marie Vedrine 157
- Madame Dorothy Moore 159
- Mario de Sabato 161
- Monsieur Manteia 163

AVANT-PROPOS

Tout homme rêve de pouvoir se situer hors du temps et de voir ainsi le passé et l'avenir. Pendant longtemps, la science académique nia totalement la clairvoyance, le don de double vue qui permet de se hisser au-delà du temps et de l'espace. Mais aujourd'hui, la parapsychologie, science des facultés psychiques se situant en dehors des principes reconnus par la science orthodoxe, constate que tout être humain peut arriver à la clairvoyance pourvu qu'il soit en possession de ses cinq sens, qui permettent de développer et de stimuler le sixième sens. Lorsque l'homme initié aura retrouvé la voie qui mène vers une nouvelle mise en valeur de ces facultés qui sommeillent en lui, lorsqu'il aura appris à s'en servir, il saura s'élever au-dessus de la vie quotidienne dans le temps et dans l'espace.

Pour éviter toute erreur ou tout malentendu, précisons que nous voulons désigner par « clairvoyance » la faculté de percevoir, en dehors du temps et de l'espace, des objets et des événements qui se situent dans le passé, le présent ou l'avenir.

La définition qu'en donne la science académique est plus prudente : c'est, dit-elle, la faculté de percevoir des objets imperceptibles par les sens normaux.

La science classique l'explique par un développement aigu des facultés sensorielles et par un rapprochement inconscient de perceptions sublimnales ou une forme de déterminisme. Nous reconnaissons que le domaine où nous voulons nous aventurer est encore fort controversé. La clairvoyance et la télépathie sont des phénomènes difficiles à prouver en dehors des expériences contrôlées. Mais il est impossible de les réfuter, du moins lorsqu'ils portent sur le passé et sur le présent. Quant à l'avenir, il reste voilé jusqu'à ce qu'il devienne le présent et confirme ou infirme ce que nous avait révélé la double vue.

Si nous admettons avec la parapsychologie contemporaine que nous sommes tous capables de clairvoyance, nous pouvons aborder courageusement le domaine de l'expérimentation scientifique. C'est là que nous pourrons non seulement vérifier, mais aussi exercer ce mystérieux sixième sens latent, dont plusieurs parapsychologues pensent qu'il est la clé de la quatrième dimension.

Les expériences doivent être systématiques. Ce n'est qu'à ce prix qu'elles seront concluantes et pourront profiter à l'humanité. La voie du sixième sens, qui est celle de la clairvoyance, est à la fois un problème scientifique et psychologique.

Celui qui saura nous suivre patiemment à travers les dédales qui ont entouré jusqu'ici le concept du sixième sens accèdera à la double vue et se placera au-delà du temps et de l'espace. Car cette faculté est innée. Nous la possédons tous. Nous n'avons qu'à la redécouvrir.

Les sceptiques d'aujourd'hui ont eu un précurseur dans la personne de Crésus, dernier roi de Lydie (561-546 avant J.-C.), qui ne voulut croire qu'à des prophéties vérifiables. Avant d'entreprendre sa campagne contre les Perses — il fut vaincu en 546 avant J.-C. par Cyrus II de Perse —, il dépêcha des émissaires à Dodone, à Delphes, à Milet, à Aba et chez Trophonios pour consulter les oracles les plus célèbres de son temps et mettre à l'épreuve leur supposée précognition.

Le roi Crésus s'inquiétait de savoir quel serait son sort vingt jours plus tard.

À l'arrivée de l'envoyé lydien, la célèbre pythie de Delphes était déjà en transe. Avant qu'on ait pu l'interroger, la prêtresse fit la déclaration suivante :

« Je suis occupée à compter les grains de sable des côtes de la mer et à mesurer les profondeurs des océans. Mes sens perçoivent une odeur, comme lorsque les chairs de tortue et d'agneau sont cuites ensemble. Du cuivre se trouve de chaque côté et en dessous et la partie supérieure est également recouverte de cuivre. » Ces paroles étranges furent rapportées au roi par le messager qui mit plus de vingt jours à l'atteindre. Le roi étonné déclara :

« Au jour indiqué, je pris une tortue et un agneau, coupés en morceau, et les mis au feu dans un bol en cuivre. Je le recouvris d'un couvercle de même métal. Je poserai donc à la pythie de Delphes qui a deviné correctement mes activités, la question sur le destin qui sera réservé à ma campagne contre Cyrus II. »

Ce contrôle de prognostic effectué par le roi Crésus est considéré comme la vérification scientifique expérimentale la plus ancienne d'une prédiction de la clairvoyance.

Crésus, trop confiant, interpréta mal par la suite la déclaration de la pythie et perdit la guerre contre Cyrus.

Nous nous heurterons donc à des oppositions et à des doutes, mais n'est-ce pas le lot de tous ceux qui osent s'attaquer à des problèmes hors des sentiers battus ?

Au cours de cet essai, nous traiterons aussi de la lecture de pensée. La lecture de pensée, la transmission de pensée et la télépathie sont apparentées à la clairvoyance. C'est seulement depuis quelque temps, dans le cadre de leurs recherches sur l'ESP, que des parapsychologues et des spécialistes de grande réputation ont osé recueillir et publier des témoignages favorables à la télépathie.

Dans les expériences relatées ici, on notera que clairvoyance et lecture de pensée souvent se croisent, se recoupent et se complètent. La parapsychologie moderne réunit les deux phénomènes sous le concept de la « perception extra-sensorielle » (ESP).

Le fait que nous voulons surtout éclaircir, c'est que les fonctions psychiques de l'homme ne peuvent être reléguées simplement au rang de fonctions cérébrales et que leur action va bien au-delà. Nous la sentons confusément. Nous ne savons rien de précis et nous ne pouvons l'expliquer, mais nous pouvons réveiller et développer chez nous cette faculté de clairvoyance et de lecture de pensée.

Le degré de succès que nous obtiendrons dépendra de l'ardeur de nos efforts et de nos dispositions personnelles, car certains sont plus doués que d'autres. Mais en tout homme sommeille un voyant.

Le lecteur qui ne s'est jamais auparavant intéressé à la parapsychologie risque de trouver ces propos extravagants. Il convient donc de l'initier par une courte introduction à cette jeune science qu'est la parapsychologie et de le renseigner sur le champ de ses recherches et sur son progrès.

Jean-Baptiste DELACOUR

INTRODUCTION

La parapsychologie, science révolutionnaire

Depuis quelques années, la parapsychologie est à la mode et défraie toutes les conversations, mais peu de gens en savent quoi que ce soit de précis. Pourtant, cette science nous concerne tous. Des faits paranormaux se produisent partout, des expériences parapsychiques sont vécues quotidiennement, qui n'ont rien à voir avec la superstition ou l'occultisme, avec la sorcellerie ou la fantasmagorie, avec la magie noire ou blanche, avec les doctrines ésotériques des alchimistes, des cabalistes ou des autres théosophes.

D'abord considérée comme une activité marginale de la recherche psychique, la parapsychologie s'est finalement détachée de la psychologie pour devenir une science autonome. Mais la psychologie elle-même en tant que science exacte, basée sur des critères méthodologiques stricts, ne s'est développée qu'au cours du dix-neuvième siècle. Auparavant, elle se limitait à des efforts individuels, certes utiles, mais qui relevaient du domaine parascientifique.

Les étapes importantes de l'histoire de la parapsychologie

Les débuts de l'exploration du paranormal en tant que science exacte remontent au dernier tiers du dix-neuvième siècle : 1882 et 1885 sont des dates importantes pour cette nouvelle science, puisqu'elles marquent la fondation de la *Society for Psychical Research* (SPR) britannique et de son homologue américaine. Par la suite, mentionnons le début des activités de chercheurs tels que J.B. Rhine, aux États-Unis, W.H.C. Tenhaeff, en Hollande, Hans Driesch et Hans Bender, en Allemagne, Charles Richet, en France. Il est à noter que parmi ces pionniers de la parapsychologie, au nombre d'une centaine, se retrouvent surtout d'honorables professeurs d'université, provenant principalement des sciences naturelles, et une série de prix Nobel (comme Richet, prix Nobel de médecine en 1913).

Mais cette jeune science, certes étrange parmi les disciplines scientifiques classiques, n'échappa pas aux malentendus grossiers et aux pires attaques dont toute activité scientifique nouvelle est l'objet. Souvenons-nous que les précurseurs de la psychologie, notamment Sigmund Freud avec sa théorie révolutionnaire du subconscient, ne connurent pas un meilleur sort et que d'autres chercheurs avant lui en eurent un pire : Galilée, par exemple, qui fut victime de l'Inquisition pour avoir défendu sa thèse du système cosmique copernicien (héliocentrique).

Une des difficultés particulières de la parapsychologie, et non la moindre, tient au fait qu'elle est entachée de concepts relatifs à l'occultisme, faux ou vrais. Le courant principal de l'occultisme, le spiritisme — qui se fonde sur la croyance aux esprits et la communication avec les morts — , a par contre donné une impulsion décisive aux recherches en matière psychique, en psychologie comme en parapsychologie. Des centaines de cas de manifestations spirites, apparitions de fantômes, matérialisation, raps, tables déplacées et phénomènes de télékinésie, etc..., ont été examinés par d'éminents parapsychologues. Beaucoup se sont révélés être des supercheries ou émaner de l'illusion des participants; certains cas ne souffraient pas de jugement définitif, mais d'autres ont pu être vérifiés.

Même si les parapsychologues continuent de s'intéresser à ces manifestations, la parapsychologie moderne ne se préoccupe pas au premier chef de spiritisme ou d'occultisme. Au mieux, ces doctrines doivent être considérées comme des mouvements pré-scientifiques, ce qu'était, par exemple, l'alchimie par rapport à la chimie moderne.

En 1932, le professeur Driesch écrivait dans son livre *Parapsychologie — Die Wissenschaft von den «okkulten Erscheinungen»* (La Parapsychologie, science des «manifestations occultes») : «On confond constamment parapsychologie et spiritisme. On ne voit pas que la parapsychologie est un champ de recherche scientifique dont les objectifs sont bien précis, tandis que le spiritisme n'est qu'une hypothèse qui ne participe nullement du domaine scientifique en soi.»

La parapsychologie ne lutte pas seulement contre les concepts erronés hérités des anciens, mais aussi contre les préjugés des chercheurs d'autres disciplines, figés dans leur dogmatisme. Ceci, en dépit du fait qu'elle ait acquis depuis longtemps ses lettres de noblesse académique, les universités de Groningen, de Bonn, de Fribourg, d'Innsbruck, de Leningrad, la Sorbonne et Duke (U.S.A.), pour ne nommer que les plus importantes, ont des chaires de parapsychologie.

D'autre part, la parapsychologie est à la recherche d'une méthodologie et d'une terminologie qui permettront à ses adeptes et aux chercheurs de se comprendre sans risques d'erreurs. C'est dans cet esprit que le professeur Driesch a traduit *New Frontiers of the Mind* de J.B. Rhine tandis que Rhine traduisait les ouvrages de Driesch. Les grands ennemis de la parapsychologie restent cependant l'ignorance de la masse, les superstitions, l'occultisme de boulevard, souvent teinté de sexualité par la presse à sensation, et la charlatanerie de foire.

Champ de recherche et résultats

Qu'est-ce vraiment que la parapsychologie? Que recherche-t-elle? Qu'accomplit-elle?

Jusqu'à ces derniers temps, elle était confinée, comme nous l'avons déjà dit, à l'exploration des manifestations occultes (Driesch) ou des domaines prétendument supra-sensoriels (Duden, 1966). Aujourd'hui, on insiste pour dire qu'il s'agit de *phénomènes naturels*, qui se «déroulent en dehors des limites connues du comportement des énergies» (Milan Rýzl). Certains chercheurs américains, allemands et russes entre autres, parlent d'énergie PSI.

Ce sont surtout les phénomènes de la *perception extra-sensorielle* (ESP) qui font l'objet de ces recherches.

Les phénomènes de la perception extra-sensorielle sont :

— la transmission et la lecture de pensée (télépathie) ;
— la clairvoyance (paragnosie) que certains chercheurs partagent en *clairvoyance de l'avenir,* donc vision du futur, prophétie, savoir prémonitoire (précognition), et *clairvoyance du passé*, vision du passé (rétrocognition).

Parallèlement à l'examen de ces phénomènes «intellectuels», on poursuit des recherches sur les phénomènes physiques, surtout la psychokinésie (PK), c'est-à-dire l'influence psychique sur des processus matériels.

Pour prouver ces phénomènes, on a procédé à des centaines de milliers d'expériences engageant des milliers de sujets, à l'aide des célèbres tests de cartes ESP et des tests de dés PK. Dans le premier cas, les sujets devaient deviner la valeur des cartes ; dans le second, il devaient influencer la chute d'un dé jeté machinalement. Les résultats ont été stupéfiants : ce qu'on n'avait pu observer jusque-là que dans les séances médiumniques pouvait maintenant être vérifié par une expérience contrôlée.

On considère aujourd'hui comme un fait avéré que l'homme est capable de perception extra-sensorielle et de psychokinésie, et que l'ESP et le PK, c'est-à-dire la clairvoyance, la télépathie et le mouvement des objets à distance, existent effectivement. Des méthodes ont été mises au point pour stimuler les facultés parapsychiques et l'ESP (Milan Rýzl).

Comme les phénomènes de la perception extra-sensorielle sont de toute évidence des manifestations du subconscient, il était pertinent d'essayer de réveiller et de développer l'ESP sous l'effet de l'hypnotisme. Sous hypnose, le sujet est complètement détendu et ne fait aucun effort intellectuel, état qui favorise l'action ESP.

Les expériences d'ESP sous hypnose ont commencé relativement tôt. La *British Society for Psychical Research* mena, vers 1880, certaines expériences qui furent couronnées de succès. Le psychologue français Pierre Janet et son compatriote Charles Richet, physiologue, prix Nobel de médecine et précurseur de la parapsychologie moderne, ont inscrit leur nom dans l'histoire grâce à leurs expériences dans ce domaine.

Le chercheur le plus éminent aujourd'hui est sans aucun doute le Dr Milan Rýzl, déjà mentionné au début du chapitre, naturaliste et parapsychologue tchèque, qui poursuit sa carrière aux États-Unis depuis qu'il a fui l'Europe de l'Est. Ses travaux, publiés dans les revues parapsychologiques et dans plusieurs livres*, tiennent du sensationnel sans pour autant perdre leur caractère scientifique. Ses expériences avec Pavel Stepanek, excellent médium tchèque, sont aujourd'hui célèbres. Rýzl a éprouvé les talents ESP de Stepanek par des milliers de tests fort concluants.

Une révolution à la limite du savoir

Voilà qui paraît tenir de la science-fiction, mais qui est pourtant bien conforme aux faits. C'est mal poser le problème aujourd'hui que de demander à quelqu'un s'il croit à la télépathie.

---

* Deux œuvres de Milan Rýzl, *Jésus, phénomène parapsychologique* et *Hypnotisme et ESP*, viennent d'être publiées par les Éditions Québec-Amérique.

Autant douter que les astronautes sont allés sur la lune. Il ne s'agit plus d'une question d'opinion. *La télépathie est un fait scientifiquement avéré.*

La théorie de la relativité qui a bouleversé notre vision du monde, les vols spatiaux, ne les aurait-on pas considérés comme de pures utopies il y a cent ans? Ou la théorie de l'inconscient, aujourd'hui universellement admise? Un subconscient qui emmagasine toutes les expériences refoulées ou oubliées? Ou même un *inconscient collectif* commun à tous les êtres humains, tel qu'il a été démontré par C.G. Jung?

Les sciences naturelles techniques ont été poussées très loin. Notre vision du monde extérieur s'est élargie jusqu'à embrasser l'espace cosmique. Notre vision du monde intérieur s'est aussi élargie et plonge dans les profondeurs de l'inconscient. La recherche dans ce secteur traîne cependant loin derrière l'autre. C'est pour cette raison que le public en est si peu informé.

Et pourtant, beaucoup de chercheurs sont convaincus que les plus grandes révolutions scientifiques de demain se situent dans le domaine du monde intérieur, en psychologie, en parapsychologie et dans une branche de la physique débordant le champ des sciences naturelles orthodoxes.

La parapsychologie y contribuera dans une large mesure.

Aurelia SCHUH

CHAPITRE I

Les facultés mentales de l'homme augmentent

Quelqu'un fait-il un geste ou prononce-t-il des paroles qui nous paraissent déroger à ce que nous sommes convenus d'appeler «la raison», nous en concluons qu'il n'a plus tous ses sens. Ses sens! Les cinq sens sont devenus un concept fixe. Nous savons tous ce qu'ils désignent : la vue, l'ouïe, le toucher, l'odorat et le goût.

Ces cinq sens peuvent nous paraître suffisants pour juger des facultés mentales de nos congénères, mais dans les cabinets de consultation des psychiatres et dans les laboratoires de recherche psychique, on sait depuis longtemps qu'ils ne permettent pas de mesurer l'équilibre mental de l'homme normal. Dès que l'homme s'aventure un peu plus loin que son horizon habituel, il s'aperçoit que ses expériences corporelles et spirituelles mettent en œuvre d'autres sens que les sens traditionnels.

Comment savons-nous que nous avons faim ou que nous avons assez mangé? Comment nous rendons-nous compte de notre équilibre? Comment certains individus peuvent-ils, éveillés ou endormis, évaluer exactement — comme une montre — le passage du temps? Comment les aveugles peuvent-ils percevoir les mouvements autour d'eux si ce n'est par un certain «sens» de la distance? Il en est de même pour des gens normaux dont on bande les yeux.

Nous ne percevons pas seulement la chaleur et le froid, mais aussi la pression et les piqûres. Nous pouvons juger approximativement du poids d'un objet en le soupesant grâce à un « sens » de la pesanteur et nous dosons la tension de nos muscles par un « sens » de la force. Un « sens » spécial nous permet, même les yeux fermés, de savoir la position de nos membres.

Quantité de gens sans doute ne se sont jamais arrêtés à ces considérations ou estiment que ces facultés peuvent être groupées d'une manière ou d'une autre parmi les cinq sens généralement reconnus. Tel n'est cependant pas le cas.

Les psychologues ont défini de nouveaux groupes de sensations afin de pouvoir distinguer au moins les plus importantes et de les étudier séparément.

L'homme, pense-t-on, possède une vingtaine de sens et même davantage.

Nous en avons déjà mentionné quelques-uns. En nous basant sur les recherches les plus récentes, nous essaierons maintenant de compléter la liste des sens, mais avec cette réserve : il se pourrait fort bien que de nouveaux « sens » soient découverts d'ici peu qui allongeront cette liste. Il se pourrait également que l'un ou l'autre des « sens » qui figurent pour l'instant dans la liste des vingt sens soit éventuellement rattaché à un groupe principal à la lumière de connaissances nouvelles qui nous font encore défaut.

La liste ci-dessous nous indique néanmoins la voie dans laquelle la recherche s'est engagée vers la définition d'autres facultés sensorielles.

Aux cinq sens fondamentaux s'ajoutent donc les suivants :
— sens des muscles ou de la force
— sens de l'équilibre
— sens de la pesanteur
— sens du temps et de l'avenir (intuition)
— sens de la chaleur et du froid
— sens des radiations
— sens de la distance

— sens de la pression et de la piqûre
— sens du souvenir
— sens des conditions atmosphériques
— sens du rythme
— sens de la vision des sons
— sens kinestésique
— sens esthétique
— sens des multi-fonctions.

Nous ne prétendons pas avoir établi une liste exhaustive et définitive. Les sens des muscles, de l'équilibre et de la pesanteur seront probablement regroupés éventuellement, mais on ne leur a pas trouvé jusqu'ici de dénominateur commun.

Quelques-uns de ces « sens » demandent à être précisés. Ainsi par « sens kinestésique », nous entendons cette sensation qui nous permet de savoir, même les yeux fermés, la position de nos membres. À défaut de ce sens, nous ne pourrions exécuter les mouvements appropriés dans l'obscurité.

Il semble qu'actuellement, le « sens » de la vision des sons soit extrêmement rare, du moins selon les psychologues. Il existe des gens pour qui chaque son se traduit par une couleur. Ils peuvent pour ainsi dire entendre la musique en couleurs, tandis que pour d'autres les couleurs ou d'autres perceptions comme la chaleur ou le froid se transforment en sons. On suppose que le « sens » de la vision des sons est aussi rare que la capacité de rêver en couleurs. On estime qu'il n'y a qu'une personne sur 40 000 qui puisse rêver en deux ou trois couleurs. Ceux qui rêvent en plus de trois couleurs sont des phénomènes qui ne se rencontrent qu'une fois parmi des millions d'êtres humains.

Si ce « sens » de la vision des sons existe chez les uns, il devrait se retrouver au moins en puissance chez plusieurs autres. S'il ne se manifeste pas, c'est peut-être à cause d'une dégénérescence ou d'une mutation que la biologie n'a pas encore tirée au clair.

Il existe beaucoup de perceptions que nous ne cultivons plus ou pas encore. Nos ancêtres possédaient peut-être des facultés sensorielles qui leur servaient couramment, mais qui ne s'exercent plus.

Nous avons déjà parlé du «sens» de la distance que possèdent les aveugles et les gens normaux particulièrement doués. Ce sens ne dépend pas d'ondes sonores ni d'ondes lumineuses ou d'impulsions provenant de courants d'air. Il permet aux aveugles, ou à quiconque peut s'orienter sans voir, de savoir si une pièce est grande ou petite, meublée ou vide, s'il s'y trouve quelqu'un , s'il y a des arbres devant la fenêtre et si le terrain entourant la maison est gazonné ou non.

Dans les relevés récents, on fait une distinction entre le sens de la pression et celui de la piqûre. Il apparaît que la perception et l'assimilation de la température, de la pression et de la piqûre dépendent de zones distinctes du cerveau. Nous avons omis le «sens» de la température pour le remplacer par celui de la chaleur et du froid. Nous avons réuni les «sens» de la pression et de la piqûre même si nous savons qu'il existe une différence entre les deux sensations. Ainsi, si nous prenons une brosse aux soies dures et pointues et que nous la pressons sur la peau, nous sentons une pression. Mais si nous appliquons une aiguille où les soies exerçaient leur pression, nous n'avons plus une sensation de pression, mais bien de piqûre.

Certains lecteurs trouveront sans doute ces distinctions farfelues. Mais nous devons en tenir compte puisque notre objet est de clarifier le concept d'un prétendu sixième sens. Il faudrait donc isoler parmi les quinze sens additionnels ceux qui, selon les lois de la psychologie et de la science en général, seraient susceptibles d'éveiller chez nous des aptitudes exceptionnelles.

Dans une perspective scientifique, il faut se demander si tout homme, par un entraînement approprié visant à développer son pouvoir de concentration et certaines aptitudes latentes, est capable de clairvoyance. Nous avons posé la question à des médiums reconnus par la science et ayant souvent participé à des séances expérimentales.

Mme Mayer-Didier, vieille dame de 70 ans et voyante réputée en France, nous dit : «Nous ne sommes pas clairvoyants, la clairvoyance nous envahit. Nous subissons la clairvoyance. Nous en sommes les victimes. Je me suis souvent demandé s'il fallait orienter les gens vers cette voie ! »

Mme Mayer-Didier a constaté au cours de sa longue carrière, qu'il lui arrivait beaucoup plus souvent de prédire des événements malheureux que des événements heureux. Selon elle, l'homme n'est que récepteur et le don du sixième sens, de double vue ou de clairvoyance, n'est rien d'autre que la réception de messages provenant de l'entourage. En ce qui la concerne, elle est submergée par une telle quantité d'images et de pensées qu'on comprend son refus obstiné d'enseigner la clairvoyance.

Jeanne Dumonceau collabore avec de nombreux instituts scientifiques et des laboratoires universitaires. Elle s'est intéressée de façon scientifique au magnétisme, à la graphologie, aux sciences occultes et aux recherches sur le pendule. Dans ses analyses critiques, elle défend l'opinion — que partagent la plupart des clairvoyants — que tout homme a des prédispositions à la clairvoyance et à la double vue.

D'après ses expériences, il faut une surexcitation de tout le système nerveux pour produire l'état intérieur et extérieur qui permet à ces aptitudes de se manifester. À la suite des observations qu'elle a faites avec des médecins, Mme Dumonceau en arrive à la conclusion que cet état de surexcitation nerveuse ressemble à celui que provoquent chez des patients les injections d'adrénaline.

Il y aurait donc, pense-t-elle, une relation directe entre la faculté de la clairvoyance et le fonctionnement des glandes surrénales.

« Nous sommes tous voyants, nous possédons tous le sixième sens, mais celui-ci ne se manifeste que chez certains élus qui souffrent probablement d'un fonctionnement excessif des glandes surrénales. Les glandes surrénales ne sont pas nécessairement seules en cause. D'autres glandes peuvent avoir un fonctionnement excessif et causer une anomalie à partir de laquelle la double vue et la clairvoyance se développent. »

Lors d'une conversation avec un voyant hindou, la possibilité d'induction artificielle de la double vue a été évoquée :

« Je n'ai qu'à couper la respiration selon un rythme bien défini et charger ainsi — selon les explications qui m'ont été données par un médecin européen — mon sang de gaz toxiques qui, en certaines circonstances, peuvent être fatals. Ceci me fait entrer dans un état qui me permet de voir à distance, par delà le temps et l'espace, de m'élever au-dessus de ces limites. »

Ainsi, les opinions des voyants sont-elles très divergentes.

CHAPITRE II

Clairvoyance et lecture de pensée sont à la portée de tout le monde

Ma fille m'appelait

Peu après neuf heures, Mme Erika Seubert, environ 55 ans, habillée simplement, se présente au portier de la maison Wigandt à Cologne. D'une voix mal assurée, elle demande sa fille, Agnès Seubert. Le portier ne comprend rien à la question et l'envoie au deuxième étage où travaille Agnès Seubert.

La mère se tient dans le corridor. Quelqu'un passe et lui demande qui elle cherche.

— Ma fille, Agnès Seubert.

On regarde dans la pièce où Agnès est censée travailler.

— Votre fille n'est pas ici.

— Mon Dieu! Il lui est arrivé malheur.

Quelqu'un accompagne la dame chez le chef du personnel.

— Qu'est-ce que je peux faire pour vous?

— Ma fille, Agnès Seubert, travaille chez vous, n'est-ce pas? Je suis passée chez elle, il n'y a personne. J'ai quitté ma maison à six heures et demie, je viens d'arriver.

— Oui, votre fille ne s'est pas présentée au travail ce matin.

— Alors, il lui est arrivé quelque chose. Personne n'a ouvert chez elle; elle n'est pas ici.

— Elle est peut-être chez le médecin. Si elle manque sans prévenir, elle doit avoir des raisons. Est-ce qu'elle ne savait pas que vous deviez venir?

— Je ne le savais pas moi-même. Mais j'ai vu ma fille morte, le bras gauche ensanglanté, cette nuit.

— Voyons, vous avez fait un cauchemar.

— Je n'ai pas rêvé, je ne rêve jamais, c'est-à-dire que je ne me rappelle jamais de mes rêves. Ce n'était certainement pas un rêve. Je l'ai vraiment vue dans ma chambre, à côté du lit. Elle m'appelait à son secours. Mais lorsque j'ai voulu me lever, elle n'y était plus. J'ai regardé ma montre, il était trois heures vingt.

Le chef du personnel est sur le point de s'impatienter, mais il remarque les yeux angoissés de la dame. Pourquoi inventerait-elle une pareille histoire? Agnès Seubert n'est pas venue au travail. Personne n'a répondu à la maison. Il se lève.

— Venez! Je vous accompagne en voiture jusqu'à l'appartement de votre fille. Vous verrez, elle sera revenue entre-temps.

Pendant le trajet, il se renseigne.

— Est-ce que votre fille avait des problèmes ces derniers temps?

— Pas vraiment, sauf une histoire avec son fiancé qui l'a bien démoralisée. Elle m'a écrit : «Tout est maintenant fini avec Heinz, tout est fini.» C'était il y a trois semaines. Entre-temps, elle est venue me voir à la maison, il y a dix jours. Elle était étrange, taciturne. Elle voulait absolument aller au cimetière sur la tombe de mon mari, son père. Ensuite, elle est rentrée à Cologne, comme d'habitude. Je ne sais rien d'autre. C'était une fille tranquille et appliquée. Pourquoi a-t-elle rompu avec son fiancé? Je n'en sais rien. Peut-être justement parce qu'elle était trop correcte et tranquille.

Ils s'arrêtent devant un grand immeuble. Ils montent au quatrième et sonnent. Personne ne répond à la porte sur laquelle est inscrit le nom d'Agnès Seubert. Le chef du personnel frappe à la porte voisine. Une jeune femme ouvre.

— Avez-vous entendu quelque chose d'anormal chez votre voisine? Pensez-vous qu'elle est sortie ce matin? Auriez-vous entendu des bruits cette nuit?

— Je dors profondément. Je n'ai rien entendu. Je ne m'occupe pas de mes voisins, mais demandez à la dame d'en face. Elle sait toujours tout.

La dame en question est une demoiselle d'un certain âge, au regard perçant.

— Mlle Seubert? Non, je ne l'ai pas entendue ce matin. Mais j'ai remarqué qu'elle était rentrée très tôt hier soir, vers 19 heures. Je n'ai plus rien entendu. Attendez... Mais ça ne doit pas avoir aucun rapport. J'ai entendu un gémissement, comme si quelqu'un était en détresse. Mais le locataire du dessous souffre de cauchemars. Non, je ne peux rien vous dire... Pensez-vous qu'il lui est arrivé quelque chose? Voulez-vous appeler quelqu'un? Venez téléphoner chez moi. Cette dame est sa mère? Il y a un service de serruriers près d'ici. Appelez et on viendra; vous pourrez ouvrir la porte et vous saurez ce qu'il en est.

Le chef du personnel hésite un instant, puis acquiesce. Il fait attendre Mme Seubert et va chercher le serrurier en voiture pour faire plus vite. Le serrurier essaie d'ouvrir:

— La clef bloque la serrure de l'intérieur. Il y a donc quelqu'un. Je peux dévisser la serrure, mais cela fera des dégâts. C'est vous qui devrez...

— Dépêchez-vous, dépêchez-vous.

Le chef du personnel retourne chez la demoiselle d'en face.

— Appelez la police du quartier pour qu'on envoie un agent à tout hasard. J'ai un mauvais pressentiment!

Au bout de dix minutes, l'agent de police arrive, ouvre la porte et entre.

— Pour l'amour du ciel, retenez la vieille femme, c'est terrible.

Mais Mme Seubert se fraie un chemin. Épouvantée, elle est devant sa fille qui gît sur le tapis à côté du lit. Le tapis est rouge du sang qui a coulé de son poignet gauche.

L'agent de police appelle le médecin de service. On couvre la morte d'un drap. On amène Mme Seubert dans l'appartement de la voisine :
— Restez ici jusqu'à ce que l'enquête de la police soit terminée. Calmez-vous. Est-ce que je peux vous être utile ?

Mme Seubert sanglote sans rien dire. Le médecin arrive et ne peut que constater le décès.
— La malheureuse ! Elle voulait être sûre de mourir. Ici, sur la table de chevet, un tube de somnifères et le rasoir pour s'ouvrir les veines. Il faut avoir du cran. Pauvre fille ! Il n'y a rien à faire. Je rédige le certificat de décès. Quelqu'un connaît-il son identité ? D'où tenait-elle le rasoir ?

Mme Seubert est revenue dans la pièce.
— C'est le rasoir de mon défunt mari. Elle l'avait emporté pour découdre des vêtements. Elle cousait elle-même toutes ses robes et en faisait également pour des compagnes de travail. C'était une fille si adroite.

L'agent de police regarde autour de lui.
— Elle n'a laissé aucun message, pas une lettre, rien.
— Rien à trouver.
— Nous avons déjà demandé une voiture à la morgue. On viendra la chercher dans quelques instants.
— À quelle heure est survenu le décès, docteur ?
— Il est maintenant presque onze heures. Vers trois heures, trois heures trente, je suppose.

Le chef du personnel regarde Mme Seubert. Elle avait regardé sa montre à trois heures vingt. À ce moment, sa fille Agnès l'avait appelée à son secours. Elle avait vu sa fille dans sa chambre à coucher, par terre, avec du sang au poignet gauche.

Deux questions surgissent à propos de ce récit, en tout point fidèle aux faits :

— Comment est-il possible de voir un événement qui se produit à distance, à l'instant même où il se produit? Comment Mme Seubert pouvait-elle voir mourir sa fille qui se trouvait à 250 km d'elle?

— Comment se fait-il que Mme Seubert ait eu une «vision de rêve» mais qu'elle ait été persuadée qu'elle n'avait pas rêvé, qu'elle avait bel et bien vu sa fille?

Il est vrai que l'apparition s'est effacée lorsque Mme Seubert a voulu se lever pour secourir sa fille qu'elle voyait dans sa chambre. Existe-t-il un état entre le sommeil et la veille, où de telles visions sont possibles? Et comment peut-on expliquer ces visions?

Disparu!

Helmut Mirgel, de Stuttgart, émigra au Canada peu après la guerre. Il avait 42 ans. Il voulait conquérir le nouveau monde ou, en tout cas, tourner le dos au vieux monde.

Il connut des hauts et des bas. Parfois, les temps étaient durs pour lui, très durs. Il se fit bûcheron parce qu'il était costaud; il devint contremaître de chantier parce qu'il savait calculer; il devint chercheur d'uranium parce qu'il savait manier un compteur Geiger; il devint propriétaire de bar parce qu'il savait être patient; et il devint propriétaire de magasin parce qu'il fit une bonne affaire en achetant, à Whitecrack, tout près de la frontière de la Colombie-Britannique, le petit commerce de John Fitzgerald Holms qu'il agrandit considérablement.

Tout cela, ses difficultés, ses privations, son mal du pays et les péripéties de son succès, Helmut en avait fait part dans ses lettres à son frère et à sa sœur à Stuttgart.

Un jour, un pli spécial leur parvint : une lettre recommandée d'une agence officielle du gouvernement canadien. La lettre était en anglais. Ils la firent traduire :

« Helmut Mirgel, né le 19 avril 1904 à Stuttgart, est porté disparu depuis le 13 juin 1962.

« Toutes les recherches entreprises depuis dix-huit mois sont restées vaines. Comme il manque tout indice de crime, d'accident ou de décès, l'héritage au montant de 52 000 dollars ne pourra pas être attribué, sauf si un certificat de décès peut être fourni. Nous joignons quelques lettres que le disparu n'a pu envoyer et qui furent trouvées dans son appartement. Selon les indications de nos interprètes, ces lettres ne contiennent rien qui pourrait nous renseigner sur l'endroit où il se trouve actuellement. Elles ne sont donc plus requises pour fin d'enquête et vous sont transmises. »

C'était une nouvelle douloureuse, mais Berta et Ernst Mirgel n'en étaient pas à leur première épreuve. Ils savaient qu'on ne peut pas forcer le destin et qu'on est impuissant face aux événements.

Qu'était-il advenu d'Helmut ? Le frère et la sœur savaient qu'Helmut s'était lié d'amitié avec un homme âgé à Whitecrack. Ils connaissaient son nom et son adresse et lui écrivirent pour avoir plus de renseignements sur la disparition de leur frère.

Ils lurent et relurent les derniers mots qu'Helmut avait écrits, mais qu'il n'avait pas postés, car quelque chose lui était arrivé dans l'intervalle. À la fin de sa lettre, il écrivait à son frère : « Comme tu vois, je suis toujours seul. Et je me sens bien ainsi. Le matin, une femme de ménage vient. Et puis, il y a une fille qui m'aide au magasin. »

Le soir, Berta Mirgel, 52 ans, apporta cette lettre dans sa chambre. Elle voulait la relire en toute tranquillité avant de s'endormir. Le matin suivant, elle raconta à son frère au petit déjeuner : « Il m'est arrivé quelque chose de bizarre cette nuit. Je sais maintenant comment notre frère Helmut est mort. Il est mort ! J'en suis sûre. J'ai relu la lettre et puis j'ai éteint la lumière. Je ne sais pas combien de temps je suis restée dans l'obscurité. Il n'y a eu qu'un rayon de lumière qu'une voiture a jeté au passage dans ma chambre. J'ai suivi des yeux ce rayon de lumière qui courait le long du plafond. Et soudain, tout s'est éclairé dans ma tête : Helmut marchait dans la forêt. Tout à coup, il a quitté le sentier et a pris sur la droite. C'est une forêt avec beaucoup de sous-bois. Il s'est approché d'un endroit où se trouvait un échafaudage ou un mur en bois. Le sol a cédé sous ses pieds et il est tombé. Je ne l'ai pas vu, je ne l'ai pas entendu, personne ne me l'a dit, mais j'en ai eu la conviction comme dans un éclair. Quand j'ai rallumé la lampe parce que cette pensée m'a bouleversée, je me suis rendu compte que j'avais encore la lettre d'Helmut à la main. Tu sais, nous allons écrire non seulement à son ami, mais également à cette agence gouvernementale qui a envoyé ce document en anglais et ses lettres. Nous écrirons tout ce que je viens de te raconter et nous le ferons traduire. Qu'avons-nous à perdre ? Cela ne coûtera que quelques sous pour la traduction. »

Le frère se fit de nouveau raconter l'histoire en détail. « Oui, c'est étrange, dit-il. Évidemment, on peut se demander... Mais si clairement et si distinctement, comme tu le racontes, c'est bizarre. Tu as raison, je rédige cette lettre tout de suite et tu pourras la relire. Ensuite, je la ferai traduire. Nous l'enverrons à l'adresse indiquée sur le document. Et puis, nous verrons. »

Quatre semaines plus tard, ils reçurent du Canada, les message suivant :

« Nous vous confirmons qu'Helmut Mirgel a été trouvé mort dans un puits de mine de 106 mètres de profondeur. Il s'est noyé dans l'eau du fond.

« Grâce à vos indications, nous avons refait exactement le chemin qu'Helmut Mirgel a probablement pris le jour de sa disparition.

« Étant donné ce développement, l'héritage est maintenant disponible, après déduction des impôts sur les successions en vigueur au Canada... »

Une lettre de ce vieil ami d'Helmut Mirgel leur parvint presque en même temps :

« Tôt dans l'après-midi du jour de sa disparition, Helmut m'a quitté pour aller discuter d'une livraison avec un homme d'affaires de la ville voisine. Il aurait pu prendre l'autobus, quelqu'un lui a même proposé de l'emmener en voiture, mais il préférait s'y rendre à pied.

« C'est sur la route de Redstone qu'il est disparu. Nous l'attendions le même soir, mais il n'est pas revenu. Nous avons d'abord pensé qu'il était resté à Redstone. Mais comme il n'était pas de retour à dix heures le lendemain, quelqu'un est allé à Redstone.

« Il ne s'y était pas rendu. Nous avons cherché partout dans les environs, mais personne n'a eu l'idée qu'il avait pu emprunter le sentier qui quitte la route principale afin d'écourter son chemin. Lors de nos recherches et de celles des autorités, reprises après réception de votre lettre, il était très précieux d'avoir des indices précis comme celui du mur de planches.

« Comment est-il possible qu'étant aussi éloignés de Whitecrack, vous ayez pu connaître ces détails ? »

Voilà pour les faits. Deux questions se posent :
— Comment est-il possible de revivre après coup des événements ? Peut-être s'agit-il d'une série de hasards ? S'agit-il d'un fait authentique de rétrocognition ?
— Le fait que la sœur ait eu la lettre de son frère disparu à la main joue-t-il un rôle déterminant dans cette rétrocognition ? En d'autres mots, cette vision du passé était-elle liée d'une façon ou d'une autre à l'objet provenant du disparu ? La rétrocognition a-t-elle été déclenchée directement ou indirectement par cette lettre ?

Les vingt-six heures tragiques

Vers 21 heures, Mme Helga Ravens avait sorti ses cartes de réussite et s'était assise sous la lampe verte près du guéridon. Trois fois les cartes tombèrent bien, et elle réussit son jeu sans peine. C'était pour ses petits désirs quotidiens qu'Helga Ravens avait coutume de sonder le destin.

Elle ne disait pas qu'elle y croyait, mais à plusieurs reprises déjà, elle avait remarqué que tout ce qui réussissait dans son jeu de cartes réussissait aussi dans la vie. Elle jeta un coup d'œil à Jorg, son mari, qui était confortablement installé dans un fauteuil, dans la pièce voisine, et feuilletait une revue spécialisée prenant de temps en temps des notes.

— Je vais bientôt me coucher, dit-il. Je voudrais me lever de bonne heure demain. Je viens de penser à quelque chose et il me semble que c'est une idée formidable qui me rapportera sûrement une belle commande. Je veux...

Helga Ravens était bon public. Elle ne contredisait pas son mari. Elle ne posait pas de questions car elle savait que Jorg avait besoin de pouvoir développer ses pensées jusque dans leurs moindres détails devant quelqu'un. Elle ne l'écoutait plus, mais il ne s'en aperçut pas. Il lui parlait de la pièce voisine et ne voyait pas qu'elle faisait une réussite — pour lui et le succès des plans qu'il était en train d'échafauder et qui l'absorbaient de plus en plus.

Helga essaya de nouveau. Nouvel échec. Rien à faire, elle ne pouvait la faire aboutir. C'était à s'en désespérer. Et tout à coup, les cartes se montrèrent sous une combinaison si bizarre qu'elle détruisit le jeu de sa main et mélangea les cartes. Elle se leva et alla rejoindre son mari :

— Écoute-moi, Jorg, dit-elle. Il ne faut pas que tu partes demain. Tu dois rester ici. Tu ne dois pas quitter la maison. Non, je ne te laisserai pas partir ! Quelque chose t'arrivera demain. Une voiture est impliquée. Je sais que tu vas me répondre que tu es le meilleur conducteur du monde, mais tu ne sais pas quel fou est au volant de la voiture que tu croises. Non, Jorg, je t'en supplie. Tu sais que je ne t'ai jamais rien demandé de tel depuis que nous nous connaissons, depuis que nous sommes mariés. Ne me donne rien à mon anniversaire ou à Noël, si tu veux, mais accorde-moi ta journée de demain et reste ici. Je te laisserai tranquille. Tu feras ce que tu voudras, mais reste à la maison!

— Quelles idées, Helga. Toi, d'habitude si raisonnable! Qu'est-ce qui te prend soudain?

Il se leva et arpenta les deux pièces et regarda la petite table sous la lampe verte.

— Ah! ta réussite n'a pas abouti, n'est-ce pas?

— Non, mais il ne s'agit pas de cela. Non, c'est bien pire. J'ai la ferme conviction qu'il t'arrivera quelque chose demain, si tu... Il s'agit d'une voiture. Je ne sais pas pourquoi. Prends-moi pour une folle ou pour une hystérique, si tu veux, mais reste ici demain, je t'en supplie!

— Tu sais bien que je ne peux rien te refuser. Heureusement, je peux m'arranger sans sortir. Je resterai ici. J'aurais dû terminer un rapport au bureau, mais je peux aussi bien le dactylographier à la maison. Mais je reste seulement pour te faire plaisir, Helga, et non pas parce que je crois à tes superstitions et à tes réussites. Je te soupçonne, d'ailleurs, de me jouer cette comédie simplement pour me garder près de toi, à la maison, douze heures de plus. C'est cela, n'est-ce pas?

Helga avait les larmes aux yeux.

— Je suis si contente! Je te jure que ce n'est pas une comédie ni un piège. C'est vraiment la peur qui m'a obligée à tout te dire. Je me suis presque évanouie à la petite table lorsque les cartes... Je te l'avoue franchement, je ne crois pas aux cartes de la mort et tout ce qu'on en dit. Mais lorsque les cartes sont tombées de cette façon-là, j'ai su instinctivement que tu ne devais pas partir demain.

— Nous aurons donc vingt-six heures à nous tout seuls!

Et ainsi commença une journée étrange, l'expérience étrange d'Elga Ravens.

C'était un jour ensoleillé. Son mari essaya au début de l'après-midi d'alléger la claustration qu'il s'était imposée.

— Veux-tu que nous prenions la voiture et que nous allions boire un café dans les environs?

— Non, Jorg, pas aujourd'hui, sous aucun prétexte. Nous restons à la maison. Si tu veux quelque chose, du gâteau ou tout ce que tu veux, j'irai te le chercher. Mais toi, il faut que tu restes ici.

Il hocha la tête et se remit à son travail, s'interrompant de temps à autre pour bavarder avec sa femme. Le jour s'acheva sans incident. Le soir, Jorg Ravens se tenait près de la fenêtre ouverte et contemplait le ciel.

— Quelle soirée! dit-il. La nuit est si douce et si belle! Viens, Helga, allons faire un tour dans le jardin et fermer le portail.

Ils descendirent dans le jardin, bras dessus, bras dessous. Ils marchèrent autour de la maison. Chaque pierre leur était familière, et la faible lumière de la nuit étoilée leur suffisait pour trouver leur chemin.

— Je ferme le portail et je reviens tout de suite, dit Jorg.

Le portail était à vingt pas.

Helga monta les cinq marches d'un petit escalier. C'est alors qu'elle entendit un camion qui venait en trombe. Elle s'arrêta et regarda derrière elle. Les phares brillaient, éblouissants. Ils devinrent d'immenses roues de feu qui fonçaient droit sur la maison, sur le portail, sur Jorg. Helga cria. Le camion enfonça le portail.

Jorg fut tué sur le coup. Le chauffeur du camion avait perdu la maîtrise de son véhicule trois minutes avant minuit, trois minutes avant que ne se termine la période durant laquelle Helga avait entrevu la mort de son mari, causée précisément par un véhicule.

Dans ce cas, deux questions surgissent également :

— Est-il possible de savoir, de sentir, de connaître d'avance un événement tragique, mortel, frappant une tierce personne? Les cartes de réussite ne sont pas nécessairement en cause ici, mais elles commandent aussi une explication.

— Le destin de l'homme est-il si immuable que nul ne puisse y échapper? Ou est-ce une coïncidence que la vision d'Helga Ravens se soit accomplie?

Les trois cas relatés ici ont ceci de commun qu'il s'agit toujours d'êtres qui sont très proches :

— une mère qui voit mourir sa fille;

— une sœur qui reconstitue la disparition de son frère;

— une femme qui prédit la mort de son mari.

Nous voulons retenir cette singularité car elle peut être d'une importance capitale dans le cadre de cet essai.

Ces trois incidents tirés de la vie quotidienne et dûment vérifiés demandent à être interprétés et expliqués.

Le cerveau humain : émetteur et récepteur

Nous ne cherchons pas à faire croire au lecteur que la télépathie et la clairvoyance sont des facultés surnaturelles. Nous entendons au contraire en donner une explication naturelle et plausible, laissant au lecteur le soin de former sa propre opinion.

En ce qui concerne cette Mme Seubert qui a « vu » sa fille mourante, notre première question était : Est-il possible de voir un événement à distance à l'instant même où il se produit?

La perception simultanée d'événements lointains peut se produire de différentes manières :

Le confident de Gœthe, Eckermann, rapporta en 1823 que Gœthe le fit venir une nuit, exactement au moment où se produisait le grand tremblement de terre de Messine, et lui dit : «Nous vivons un moment important. Ou bien il y a un tremblement de terre quelque part, ou bien il y en aura un.»

Dans ce cas, on pourrait parler de transmission mécanique de vibrations produites par un événement lointain, qui seraient captées par une personne extrêmement sensible ou déséquilibrée. Le processus de transmission serait donc mécanique.

Des individus sensibles aux conditions atmosphériques peuvent souvent dire précisément s'il se produit un orage, quelque part, même si le ciel est parfaitement clair jusqu'à l'horizon. Dans ce cas, des vibrations électriques peuvent être transmises sur de très grandes distances. L'air ambiant et les ondes électromagnétiques présentes dans l'atmosphère sont alors les facteurs de transmission.

Lorsque Mme Seubert entend l'appel de sa fille, Agnès, lorsque l'angoisse de sa fille l'arrache au sommeil, la transmission pourrait s'expliquer par des ondes radio du cerveau, dont nous traiterons longuement plus loin. Si des ondes radio peuvent être captées par un récepteur radio, on peut supposer que le même phénomène est possible entre êtres humains et, le cas échéant, entre humains et animaux. C'est un fait connu que les humains, les animaux, les plantes et même les objets prétendument inanimés émettent des ondes qui peuvent être captées et déchiffrées dans certaines conditions, même si nous ne sommes pas encore arrivés à les repérer.

Les physiciens et les biologistes affirment que chaque être humain constitue un champ électromagnétique. Le champ magnétique de l'homme fait partie d'autres champs magnétiques plus puissants, plus étendus, qui sont déterminés soit par notre planète, la terre, soit par son satellite, la lune, soit par le soleil ou par des forces cosmiques.

À l'intérieur de ces champs magnétiques, qui s'interpénètrent à des niveaux multiples, agissent des courants et des ondes dont nous sommes loin d'avoir compris le fonctionnement, mais qui n'en existent pas moins. Grâce aux encéphalographes qui enregistrent maintenant des ondes cérébrales, nous commençons à percer le mystère de la transmission des ondes de cerveau à cerveau. Beaucoup de résultats obtenus ces derniers temps dans les laboratoires de recherche parapsychologique sont encore tenus secrets pour ne pas perturber les travaux définitifs.

Nous avons consulté un spécialiste de l'électro-encéphalographie sur la possibilité de mesurer les variations du potentiel électrique dans le cerveau humain, c'est-à-dire de les isoler et de les enregistrer.

Le cerveau fonctionne par courants électriques. Il peut être comparé à un système de distribution. Deux fréquences d'ondes actives dans le cerveau ont été clairement identifiées. Il s'agit de courants électriques de très faible intensité. On les a repérés en les amplifiant des millions de fois, opération qui ne pose aucun problème à la technologie moderne.

Les ondes alpha (huit à douze vibrations par seconde) sont émises sans interruption dans notre cerveau et peuvent être observées à n'importe quel moment, même lorsque l'individu dort.

À l'état de veille se manifestent les ondes beta (200 à 400 vibrations par seconde) dont les oscillations sont très intéressantes et très variées.

On n'a pas encore clairement établi ce qui produit ces courants électriques à basse tension dans notre cerveau. Mais s'il existe un processus électrique engendrant des ondes mesurables et isolables, il n'y a aucune raison de douter qu'elles puissent quitter le circuit direct du cerveau et se manifester dans l'espace, bien qu'on n'ait pu jusqu'ici les repérer ou les mesurer.

Il y a trente ans, le physiologue Hans Berger a réussi pour la première fois à isoler et à enregistrer des variations de potentiel du cerveau humain. Depuis lors, notre spécialiste de l'électro-encéphalographie a suivi toute l'évolution de ces phénomènes. Il nous a fait observer que les instruments d'aujourd'hui permettent sans difficulté d'enregistrer simultanément jusqu'à trente-deux variations cérébrales.

Pourtant, l'électro-encéphalogramme présente une courbe extrêmement compliquée, qui ne peut pas être analysée, car toutes sortes de fréquences s'y trouvent inextricablement enchevêtrées.

Depuis peu, on a développé à La Salpêtrière, à Paris, ce qu'on appelle le phasotron. Ce phasotron est la combinaison d'un électro-encéphalographe très perfectionné et d'un excellent cerveau électronique. Les variations manifestes de potentiel du cerveau entre deux points de dérivation n'y sont pas représentées en courbe, mais sont enregistrées par intervalles de 1/1000 de seconde.

Nous sommes persuadés qu'il sera possible avant longtemps d'établir ce qu'on appelle des cartes d'espace-temps pour les fonctions du cerveau.

La recherche déterminera éventuellement si nous pouvons, à l'aide d'amplifications encore plus puissantes, capter des ondes quittant le cerveau, soit les ondes des fonctions cérébrales, soit les ondes des pensées.

Il nous a paru nécessaire d'esquisser brièvement l'état des recherches en matière d'encéphalographie, car c'est de ce côté vraisemblablement que se feront, un jour, les découvertes concernant l'échange d'ondes mentales entre les être humains ou entre l'homme et l'animal.

Bien des sceptiques objecteront que les ondes cérébrales pourraient tout au plus transmettre une sensation, un signal et non pas une « vision » comme celle de Mme Seubert.

Il ne faut pas envisager le problème de la télévision cérébrale de manière restrictive, mais plutôt comme un phénomène qui varie d'un individu à l'autre. Si on dit que quelqu'un a « vu » quelque chose, on peut comprendre qu'il s'agit d'une vision symbolique qu'il a vue avec ses « yeux mentaux ». Mais il semble bien qu'un autre facteur ait joué dans le cas de Mme Seubert.

Des images du rêve persistent sur la rétine

Supposons que la fille qui appelait sa mère ait émis des ondes mentales captées par la mère dans son sommeil. Le cerveau de la mère aurait alors essayé, comme il le fait toujours dans des circonstances normales, de préserver le sommeil. Il a donc transformé l'interférence en images de rêve, que le cerveau peut assimiler sans difficulté et sans troubler le sommeil.

Nous rêvons sans cesse. Les stimulations nous viennent de l'intérieur ou de l'extérieur. Le cerveau s'évertue toute la nuit à travailler par le rêve des impressions non assimilées pendant la journée, ou à protéger le sommeil des excitations provenant de l'extérieur en les transformant en images de rêve.

Il est prouvé que l'homme, dès qu'il se met à rêver, remue sans cesse les globes oculaires. On pense aujourd'hui que les excitations du rêve enregistrées par le cerveau sont dirigées sur l'œil par le nerf optique. Il est bien connu que l'œil n'est pas un organe indépendant, mais une partie du cerveau retroussée vers l'extérieur. Normalement, les images pénètrent dans l'œil par la pupille et s'impriment sur la rétine, d'où elles sont transmises au cerveau par le nerf optique. Mais en sens inverse, des images peuvent se former par excitation cérébrale et être transmises de la rétine au cerveau comme expériences de rêve. Ce va-et-vient s'effectue dans un laps de temps très court. Les rêves ont souvent un déroulement temporel qui correspond au temps réel.

Lorsque Mme Seubert a reçu des ondes cérébrales radio de sa fille mourante, toute la détresse, l'appel au secours, le drame psychique vécu par la fille mourante a été perçu par le cerveau de la mère, projeté à partir de la rétine, transformé en images, vécu en images, vu en rêve.

Rappelons-nous que Mme Seubert a précisé qu'elle ne se souvenait jamais de ses rêves, ce qui est fréquent. Mais elle a aussi dit qu'elle avait soudain été complètement éveillée. Et c'est à ce moment-là qu'elle aurait vu sa fille gisant par terre, mourante.

À cet instant précis, elle a regardé sa montre et la vision s'est dissipée.

La parapsychologie explique aujourd'hui de nombreuses « visions » de la manière suivante :

La rétine est stimulée par une image et cette image, projetée par le nerf optique, persiste pour ainsi dire sur la rétine, comme un cercle de lumière une fois que nous avons détourné notre regard de la source de lumière et fermé les yeux. L'excitation de la rétine peut être tellement forte qu'elle continue de transmettre au cerveau des résidus d'impressions de rêve après un réveil brutal jusqu'à ce que la somnolence soit complètement secouée. La pupille enregistre déjà par l'œil de nouvelles impressions venant du dehors qui sont « vues » et enregistrées en même temps par le cerveau.

Deux impressions peuvent alors se superposer : l'impression du rêve qui s'éteint et la réalité. Ainsi s'expliquent les « apparitions », la rencontre furtive et évanescente avec l'esprit d'un défunt.

Il ne s'agit en réalité de rien d'autre que de l'amalgame de l'impression d'un rêve retenue trop longtemps sur la rétine avec la perception normale des images qui s'offrent à l'œil au réveil.

Mme Seubert pouvait donc d'une part recevoir le message de sa fille, son appel de détresse. Elle pouvait coordonner la situation dans son rêve selon ses considérations, le message transmis par le cerveau de sa fille et ce qu'elle savait de sa fille et de son entourage. D'autre part, grâce à l'expérience du rêve retardé, elle pouvait voir l'image pâlissante de sa fille pendant au moins quelques secondes, jusqu'à ce qu'elle s'éveille complètement et que la rétine ne transmette plus au cerveau que les impressions nouvelles venant du dehors.

Cette interprétation peut paraître audacieuse mais tous les facteurs de possibilité et de probabilité militent en sa faveur.

Des événements indélébiles au niveau cosmique?

Nous pouvons avancer plusieurs hypothèses pour expliquer le phénomène de rétrocognition, cette vision du passé qui a permis à la sœur de l'émigrant Helmut Mirgel de percevoir soudainement les circonstances de la mort de son frère au Canada :

— Le hasard qui, finalement, est toujours possible, mais qui ne résiste évidemment pas à l'examen ;

— Une opération subconsciente par laquelle le cerveau de la sœur d'Helmut Mirgel aurait enregistré des combinaisons possibles (ou des erreurs) à la manière d'un cerveau électronique, mais beaucoup plus subtilement, parmi les remarques, les indications et les détails contenus dans les lettres précédentes de son frère, et en aurait dégagé une conclusion donnant la clé de l'énigme. Il faudrait toutefois admettre encore là une bonne part de hasard, du moins en ce qui concerne le dénouement de l'affaire ;

— Un phénomène authentique de rétrocognition, un phénomène parapsychologique.

Il ne peut s'agir dans ce cas d'un fait analogue à celui de notre premier récit où la mère a su en percevant l'appel

50

au secours de sa fille quel malheur lui était arrivé. Ici, la sœur est endormie, tenant à la main la lettre de son frère disparu, et elle a perçu pendant son sommeil les circonstances de sa disparition. Dans l'hypothèse d'un phénomène occulte, la lettre aurait pu servir de pont entre la sœur et son frère, qui lui aurait ainsi transmis les renseignements permettant d'éclaircir le mystère. Le frère a-t-il agi comme « correspondant » direct de l'au-delà ou la lettre a-t-elle servi de pont entre le passé et le présent ? Voilà une question à laquelle nous allons maintenant tenter de répondre.

Supposons que Helmut Mirgel pensait trouver une mine d'or ou un gisement de pétrole au moment d'écrire à sa sœur pour la dernière fois, sans savoir que c'était pour la dernière fois. Il connaissait sans doute ces trous de forage dans la forêt et les avait peut-être visités en d'autres circonstances. Il était peut-être parti à pied pour reconnaître encore une fois toute la région, empruntant ce chemin d'où il ne devait plus revenir.

Ses pensées, consignées dans son écriture et dans le texte de sa lettre, auraient été le fil conducteur par lequel le cerveau de sa sœur aurait reconstitué les événements.

Nous devons alors présumer qu'il existe une continuité dans le déroulement des événements, c'est-à-dire que le passé ne s'efface pas, qu'il persiste à travers le temps.

Plusieurs de nos lecteurs sans doute hocheront la tête et refuseront de nous suivre plus loin. Mais nous les prions d'être indulgents et de bien vouloir suivre notre raisonnement jusqu'au bout. Ils verront qu'il ne s'éloigne pas tellement de notre expérience quotidienne.

Nous apprenons tous les jours que des signes lumineux et des ondes électriques en provenance du cosmos ont été captés par des téléscopes et des radiotéléscopes. Ils nous transmettent des informations sur des événements qui se sont produits dans l'espace il y a des millions, voire des milliards d'années (selon la distance en années-lumières). Ces événements, nous ne les voyons et les revivons littéralement qu'aujourd'hui. Ils sont survenus dans la nuit des temps, mais ne se révèlent à nous qu'aujourd'hui.

C'est à la fois l'exemple le plus fascinant et le plus clair du fait que les événements se produisent sur un plan immense, astral et cosmique. Tous les événements passés, présents et futurs peuvent exister ainsi, sous forme d'ondes ou d'expressions lumineuses, sur ce plan cosmique et éternel.

Les calculs du regretté professeur Eugen Sanger, spécialiste des recherches spatiales et astronautiques, nous ont appris que des êtres humains qui voyageraient dans l'espace interstellaire à la vitesse de la lumière, reviendraient sur terre, âgés seulement de trois, cinq ou dix ans de plus, tandis que huit cents ou mille ans se seraient écoulés sur terre.

Dans ces conditions, le temps ne s'applique qu'à un objet et sa durée peut varier proportionnellement. Les événements passés et à venir (il en sera question plus tard) peuvent être divisés et classés dans des unités de mesure temporelles différentes de celles qui s'appliquent sur terre (secondes, minutes et heures).

Si l'homme pouvait remonter le temps, il pourrait revivre les événements du passé. La rétrocognition serait donc possible pour celui qui arrive à se libérer du concept temporel et à se situer sur un plan astral et cosmique.

Est-ce l'expérience vécue par la sœur d'Helmut Mirgel? Une libération inconsciente des concepts du temps, qui, en fin de compte, ne sont que des conventions établies par les hommes?

L'homme dans l'express de la vie...

Il est évident qu'on nous accusera de vouloir nier l'existence du libre arbitre parce que nous avançons l'hypothèse d'un plan cosmique-astral où le passé et l'avenir sont consignés. On nous accusera de ravir à l'homme son pouvoir de décision sur ce qui lui arrivera ou ce qui arrivera par lui, car si tout est déjà prédéterminé sur le plan cosmique, rien ne peut être changé.

Nous aimerions illustrer ce point, pour ceux qui hésiteraient à nous suivre dans cette hypothèse d'explication des phénomènes parapsychologiques :

Supposons que l'homme est assis dans un train en marche, qui représente le déroulement de sa vie sur ce plan cosmique-astral. La vitesse du train est connue. L'homme est libre de regarder par la fenêtre à gauche ou à droite, de s'asseoir sur un banc ou de se coucher par terre, sans regarder dehors. Il peut sauter en bas du train (suicide), sans terminer son voyage astral et cosmique. Mais il peut aussi grimper sur le toit du train s'il sait comment s'y prendre ou s'il s'y laisse conduire par une «certitude somnambulesque». Là-haut, sur le toit, il pourra voir d'un seul coup d'œil où est le train, d'où il vient et où il va.

Vu de cette façon, il n'est pas difficile de comprendre la vision du passé ou la rétrocognition. Nous nous rendons bien compte que nous ne disposons que de béquilles pour avancer en tâtonnant dans les ténèbres de l'inconscient. Il nous semble important d'expliquer ces notions pour ceux qui se posent des questions débordant le cadre de notre existence quotidienne, primitive, afin d'éclairer des expériences ou des événements étranges qu'ils ont vécus et qui sont souvent aussi énigmatiques pour l'individu que pour le reste de la société.

Cette conception du déroulement de la vie humaine sur un plan cosmique ne restreint nullement notre pouvoir de décision, notre libre arbitre. Chacun est libre de se comporter comme il lui plaît dans l'express de la vie, de se rendre aussi heureux ou aussi malheureux qu'il lui sied.

La vision de l'avenir

Helga Ravens, mettant son mari en garde contre les dangers qui le guettent s'il quitte la maison, donne l'exemple d'une authentique précognition puisqu'elle voit son mari se faire tuer par un véhicule.

Elle prédit un événement futur qui

● touche un de ses proches et

● est tout à fait imprévisible.

Elle a une vision, quoique un peu floue, de l'avenir. Elle sait que son mari est sérieusement menacé par un véhicule.

Le problème qui se pose ici est plus ou moins le même que pour la rétrocognition, mais en sens inverse.

Si nous admettons la notion astro-cosmique du temps, nous reconnaîtrons qu'il est aussi possible de débobiner le temps vers l'avenir que vers le passé. Il n'est donc ni impossible ni improbable de voir l'avenir.

Souvenons-nous de l'homme dans le train qui, en se hissant sur le toit, peut voir le chemin que prendra le train. Nous disions que seul celui qui sait s'y prendre pour grimper sur le toit peut avoir cette vision du passé et de l'avenir. Mais qui sont ceux qui savent s'y prendre ?

Sont-ce ces soi-disant « élus » qui considèrent leur vertu comme une malédiction et sont souvent terrifiés par leurs dons de voyance ?

Sont-ce ceux qui, stimulés par des événements qui les touchent de près, acquièrent provisoirement des dispositions extraordinaires ?

Certains se demanderont pourquoi les clairvoyants ne sont pas plus nombreux. On se demandera aussi comment un individu, qu'il soit « élu » ou extraordinairement stimulé, peut dans la pratique s'élever au-dessus de notre plan terrestre.

La plupart des religions, et surtout les Églises chrétiennes, prêchent l'immortalité de l'âme, de ce principe spirituel qui se sépare du corps et passe pour l'éternité à une autre dimension. Même les matérialistes les plus endurcis admettront cette hypothèse s'ils se donnent la peine d'y réfléchir. L'être humain n'est pas qu'une masse de cellules, de chromosomes et d'atomes. Ses fonctions, en particulier ses fonctions psychiques, ne se conçoivent pas sans un principe interne qui les coordonne et les anime.

Selon la physique contemporaine, la matière n'est en quelque sorte que de l'énergie condensée. Cette énergie est invisible. La vie en est la manifestation visible. L'énergie condensée est une forme de vibration rythmique du champ de force terrestre et cosmique.

Cette vibration rythmique n'est ni visible, ni rigide, ni fixe. Elle est perméable. C'est elle qui pourrait être ce principe, cette âme immortelle, qui pénètre le corps dès la naissance de l'homme et l'accompagne toute sa vie. Elle n'apparaît donc pas qu'à la mort de l'être humain. Si elle est présente pendant toute la vie, il est concevable qu'elle puisse se détacher de l'être humain à l'occasion et s'élever au-dessus de lui. Au cours de ces excursions hors du temps et de l'espace à la faveur d'un choc ou d'une grande peur, elle peut à loisir observer le passé et l'avenir.

Nos constatations indiquent que ces facultés se décuplent chez l'homme dans des cas d'urgence ou dans des situations périlleuses pour le sujet ou un de ses proches. Dans ces conditions, ce mystérieux agent interne s'anime et est poussé à des performances extraordinaires. L'ESP s'exerce parce qu'il devient impératif d'entrevoir le futur, au delà de la raison quotidienne qui est limitée par le temps, de manière à contourner le danger. (L'état de transe hypnotique stimule aussi les facultés ESP. Nous y reviendrons plus tard.)

Dans les mêmes conditions s'exerce l'instinct de précognition ou de prémonition chez les animaux, dont la vie a un rayon d'action psychique tout à fait différent du nôtre et dont le principe interne peut se libérer parfois plus facilement de ses liens matériels que celui de l'homme parce qu'il est moins contraint par l'espace et par le temps.

Quant à savoir pourquoi nos facultés extra-sensorielles ne se manifestent pas plus fréquemment, les philosophes, entre autres, nous donnent une explication : l'être humain serait incapable de supporter cette vision de l'avenir s'il lui était donné de le voir à sa guise. Car la vie ne nous est supportable qu'en raison de cette incertitude du lendemain, incertitude qui n'est rompue qu'occasionnellement par des cas de clairvoyance.

Qui possède ces facultés?

Chacun de nous n'est-il pas curieux d'en savoir davantage? Nous voulons scruter les profondeurs secrètes de notre âme aussi bien que nous hisser vers les hauteurs éthérées où nous pourrons mettre en œuvre ces dons encore inexplorés qui pourraient un jour nous être fort précieux. Car chacun de nous peut se trouver dans des situations d'urgence requérant des efforts exceptionnels de la psyché, la mise en œuvre de cette force mystérieuse qui dort en nous. Nous n'avons pas le droit d'être insensibles.

Tout être humain possède des dispositions pour la clairvoyance et la télépathie. Il appartient à chacun de les développer.

CHAPITRE III

Exercices préparatoires pour une ou deux personnes

Expériences significatives; résultats encourageants

Tard dans l'après-midi, en ayant terminé avec ses obligations de professeur de mathématiques, le docteur Samuel G. Soal avait l'habitude de s'enfermer dans sa bibliothèque pour s'abandonner à l'obsession qui le hantait depuis des années : il essayait d'entrer en communication avec l'esprit de son frère défunt. Il savait par les révélations des spiritistes et des animistes de l'époque qu'il était possible d'y arriver.

Il voulait sonder ce domaine et s'y appliqua avec toute la rigueur du mathématicien endurci par trente ans d'enseignement au collège Queen Mary de Londres où il initiait les étudiants aux secrets des mathématiques avancées.

Il renonça éventuellement à son projet, mais devint dans l'intervalle spécialiste de la télépathie. La parapsychologie, ce mélange insolite de recherche psychologique et de physique à la limite du réel, l'avait fasciné.

Il travailla en collaboration avec les spécialistes du département de parapsychologie de l'université de Londres et de l'université Duke de la Caroline du nord où le professeur W. McDougall était engagé depuis longtemps déjà dans une voie analogue à la sienne. D'abord à distance, ensuite par des échanges soutenus, il se tenait au courant des expériences du professeur J.B. Rhine, de l'université Duke.

Le professeur Soal a contribué de façon dramatique à prouver l'authenticité des phénomènes télépathiques dans des conditions expérimentales contrôlées. Il utilisait un jeu de 200 cartes, composé de 40 exemplaires de cinq symboles différents, pour ses expériences. Il travaillait avec deux sujets, l'un qui faisait fonction d'agent et l'autre de percipient. Les cartes n'étaient montrées qu'à l'agent et le percipient devait les deviner tandis que l'expérimentateur notait les résultats.

Le hasard ne permettait d'entrevoir que 40 réponses justes pour un jeu de 200 cartes constitué par cinq groupes de symboles. Le professeur Soal en arriva au cours de ses expériences à une moyenne de 64 bonnes réponses, c'est-à-dire 24 au-dessus du résultat prévisible.

La probabilité d'un tel résultat était ténue (une chance sur 50 000), prouvant hors de tout doute qu'un autre facteur, la télépathie, entrait en jeu*.

Grâce à ces expériences répétées à des milliers d'exemplaires, le professeur Soal réussit à prouver avec une précision mathématique l'authenticité du phénomène ESP. Des milliers d'expériences semblables furent conduites à l'université Duke par le professeur J.B. Rhine. Plus récemment, le Dr Milan Rýzl, parapsychologue de réputation mondiale, procédant à des expériences ESP avec des sujets en état d'hypnose, en est arrivé lui aussi à d'excellents résultats*.

Ces tests de clairvoyance et de télépathie ne sont cependant pas réservés aux scientifiques. Tous ceux qui s'intéressent au développement et à l'activation de leurs facultés ESP peuvent expérimenter de la même manière.

Apprentissage et exercices

Les personnes douées pour la clairvoyance et la télépathie sont en général individualistes. Elles doivent donc trouver elles-mêmes le chemin par lequel elles sont le plus susceptibles de développer leurs facultés.

Nous proposons ci-après quelques règles d'entraînement à l'ESP qui nous sont inspirées par l'expérience de certains clairvoyants.

---

* Cf. *Das Ubernatürliche — von Okkultismus zur Parapsychologie* (Le Surnaturel: de l'occultisme à la parapsychologie), Douglas Hill et Pat Williams, Ed. Ramon F. Keller, Genève.
* Cf. *Hypnotisme et ESP*, Milan Rýzl, Ed. Québec/Amérique, 1976.

1er exercice : élimination de toute distraction

Afin d'éliminer toute distraction, il est bon de mener les expériences durant la nuit aux heures où, même dans les grandes villes, il y a le moins de bruit, c'est-à-dire entre une heure et demie et trois heures et demie du matin. Ou bien on se réfugie dans un coin isolé qui n'est pas sujet non plus aux distractions visuelles. Il est à conseiller de se boucher les oreilles, de faire l'obscurité dans la pièce et d'éliminer tout ce qui peut gêner la concentration.

2e exercice : activité respiratoire concentrée

L'exercice respiratoire propice à la clairvoyance n'est pas la respiration profonde qui peut servir à d'autres fins mais qui, en accumulant l'oxygène dans le sang, active trop les fonctions superficielles du cerveau. La respiration lente et rythmée est plus favorable à la clairvoyance. Si on se concentre sur la lettre o en respirant, on stimule les glandes surrénales. La concentration sur la lettre i favorise l'activité des sinus frontaux et, à partir de là, de certaines parties du cerveau qui, à leur tour, influencent indirectement la glande pituitaire.

3e exercice : relaxation du corps

Notre corps est dans un état permanent de contraction des muscles et des nerfs.

Pour l'en dégager, on se couche confortablement et on se suggestionne que le corps se détend, que rien ne le retient et qu'il est absorbé complètement par la gravité. Il ne faut rien faire pour combattre cette attraction de la terre.

L'idée est d'abandonner complètement son corps à la terre et d'essayer de le dépasser, grâce à ces facultés psychiques qui sommeillent en nous. Ainsi sera vaincue la gravité qui domine l'espace.

En combinant cet exercice avec le précédent, on arrivera facilement à une détente complète du corps.

4e exercice : *vidage du cerveau*

Nous sommes constamment assaillis par des pensées de tout ordre. Notre cerveau s'épuise à classer des idées, à tenter de les ordonner.

Un exercice très simple nous aidera à faire le vide dans notre cerveau. Il suffit d'imaginer un grain de riz, un grain de sable ou tout autre objet minuscule, de l'observer mentalement et de penser qu'il devient de plus en plus petit. Il est important de ne fixer sa pensée que sur un seul objet et de le faire diminuer jusqu'à ce qu'il soit disparu de notre écran mental. Si on réussit à éviter toute distraction et à se laisser absorber totalement par cette pensée, il est relativement facile de passer de l'infiniment petit au néant.

5e exercice : *réceptivité aux images psychiques*

La réceptivité aux images psychiques n'est plus un exercice proprement dit, mais plutôt une conséquence des exercices antérieurs.

Si nous réussissons à capter les images provenant de certains points de notre cerveau après l'avoir vidé des pensées qui l'habitent normalement, nous atteignons le premier palier de cette autre vision, de la vision intérieure qu'on appelle la seconde vue.

6e exercice : *découpage des images reçues*

Quand les images qui se projettent sur notre écran mental dans cet état de relaxation complète sont si claires qu'il s'établit entre elles un certain enchaînement et qu'il est possible de fixer sa pensée sur une image partielle, le seuil de la double vue authentique est déjà dépassé.

7ᵉ exercice : fixation d'une image

Quand on peut isoler clairement une image parmi la foule de celles qui s'offrent à nous, il faut s'exercer à la retenir de manière qu'elle reste fixée immuablement dans les alvéoles du cerveau.

Il faudra beaucoup de temps et de pratique avant de pouvoir discerner dans le chaos des images celle qui permettra d'éclairer un fait.

Mais le but de tous ces exercices est avant tout d'orienter la seconde vue dans la voie où nous voulons l'utiliser.

8ᵉ exercice : interprétation des symboles

Les objets, les faits que perçoit notre esprit ne sont pas les mêmes que ceux qui sont à la portée de nos yeux. Les images apparaissent sur notre écran mental sous forme de symboles dont les origines se situent dans les profondeurs du tronc cérébral. Ce sont souvent des symboles qui nous sont familiers par notre expérience de rêve.

Lorsque nous percevons clairement les symboles de la clairvoyance et que nous arrivons à les interpréter correctement, nous sommes clairvoyants au même titre que « ces êtres d'exception » qui exercent, consciemment ou inconsciemment, le pouvoir de double vue.

Expériences avec partenaires

Les exercices ci-dessus ont été éprouvés dans des universités. Au moyen de dés ou de jeux de cartes, on peut vérifier et développer ses facultés de clairvoyance et de télépathie, seul ou avec des partenaires. C'est la conclusion qui se dégage des travaux du professeur J.B. Rhine et du Dr S.G. Soal.

Le Dr Soal avait découvert dans un petit village anglais deux jeunes gens, Glyn et Jones, cousins éloignés, qui étaient en mesure d'établir des communications télépathiques d'une extraordinaire précision.

Glyn et Jones s'isolaient dans des pièces séparées, parfois à 150 mètres de distance l'un de l'autre. Sur vingt-cinq cartes d'une même série que le mathématicien présentait à Glyn, Jones pouvait régulièrement en identifier dix-neuf si Glyn se concentrait sur chaque carte. Le chiffre moyen de bonnes réponses, selon les lois de la probabilité, serait de cinq. N'importe qui peut, en une série d'expériences relativement longues, atteindre ce chiffre moyen. Mais à certains moments particulièrement favorables, Glyn et Jones pouvaient identifier correctement vingt-quatre cartes sur vingt-cinq. C'était un exploit unique qui encouragea les chercheurs à poursuivre leurs essais avec Glyn et Jones. C'était d'autant plus facile que Glyn et Jones réagissaient tous deux positivement à l'hypnose. Les expériences pouvaient donc se dérouler en état d'hypnose « de psyché à psyché » sans que Glyn et Jones n'en aient la moindre souvenance.

Le Dr Soal constata que les facultés télépathiques des deux jeunes gens faiblissaient dans la mesure où ils étaient renseignés sur les mécanismes de la transmission de pensée. Des spéculations intellectuelles commençaient à entraver l'émission et la réception spontanées des ondes mentales, compliquant singulièrement les travaux, et le nombre de fautes augmentait en conséquence. On en déduisit que

● plus les sujets sont naïfs, plus leur aptitude à la télépathie augmente ;

● les chances de succès sont d'autant plus élevées qu'il n'existe pas de volonté consciente d'exploit intellectuel.

Comment procéder aux expériences ?

N'importe qui peut se livrer à des expériences de transmission de pensée.

● Il convient de commencer par des expériences simples, l'identification de certaines formes comme des cercles, des triangles, des rectangles, des traits ou des croix dessinés sur des cartes.

● Dans la deuxième série d'expériences, on peut se servir de photos d'hommes, de femmes, d'enfants, de maisons, etc.

● Dans la troisième série d'expériences, on se servira de cartes qui offrent de plus grandes possibilités de variations.

Les premières expériences se dérouleront à l'intérieur d'une seule pièce, puis les sujets s'isoleront dans des pièces distinctes et iront toujours en augmentant la distance qui les sépare jusqu'à ce qu'elle atteigne finalement un kilomètre.

Premier essai

Nous nous servirons pour la première expérience d'un jeu de vingt-cinq cartes, soit cinq fois cinq cartes représentant le même symbole (par exemple, cercle, triangle, rectangle, croix et trait).

La personne agissant comme percipient s'installera dans la même pièce, mais de façon à ne voir ni l'agent ni les cartes. Les cartes sont d'abord battues, puis disposées sur une table en cinq rangées de cinq cartes devant l'agent.

Le percipient est alors chargé d'identifier les cartes. Il doit donner l'ordre dans lequel les cartes sont disposées sur la première rangée : par exemple, cercle, triangle, rectangle, croix et trait. De même pour la deuxième rangée et celles qui suivent. Si le percipient est capable d'identifier correctement la disposition des cartes sur une rangée ou même deux, c'est qu'il est capable de clairvoyance ou de télépathie, c'est-à-dire qu'il voit par l'esprit la disposition des cartes ou qu'il capte et reproduit fidèlement les pensées transmises par l'agent. Cela ne semble pas très difficile. Pourtant, les résultats sont la plupart du temps extrêmement pauvres, précisément parce que l'homme a perdu aujourd'hui la faculté de capter les pensées d'autrui et de recevoir ce que son partenaire lui transmet.

Ce que cette femme ressentait lorsqu'elle voyait la mort de sa fille doit d'ailleurs être considéré jusqu'à un certain point comme un phénomène de transmission de pensée. On ne peut parler de clairvoyance dans ce cas. La dernière impulsion d'ondes mentales produites par la fille pouvait être assez forte pour transmettre une image dans l'esprit de la mère. C'est d'autant plus plausible que la mère connaissait parfaitement bien la chambre où sa fille était en train de mourir.

Deuxième essai

Le deuxième essai qui est un essai de clairvoyance proprement dite est plus intéressant, mais aussi plus difficile. Nous prenons les cartes, les battons et les disposons à l'envers sur la table ou bien nous les mettons dans un carton, les battons et les laissons tomber de façon que nous ignorions nous-même leur position.

Le partenaire doit ensuite identifier les cartes en notant soigneusement leur position. Il ne s'agit plus de transmission de pensée puisque nous ignorons nous-même la position des cartes. La tâche est beaucoup plus difficile pour le percipient qui ne peut plus compter sur d'autre agent que les cartes elles-mêmes.

Le percipient doit disposer des obstacles qui obstruent sa vision des cartes en s'échappant de la troisième dimension et en dominant l'espace. Telle est du moins l'hypothèse d'explication de la clairvoyance. Les cartes doivent apparaître dans son esprit telles qu'elles sont réellement disposées sur la table. Tout degré de succès est un indice significatif d'ESP, à condition évidemment que le nombre de bonnes réponses dépasse le seuil de la probabilité qui est mathématiquement calculable.

Pour toutes ces expériences qui se rapportent à l'espace et au temps (qu'il s'agisse de précognition, de rétrocognition ou de clairvoyance à distance), il existe toujours un seuil de probabilité de bonnes réponses dues au hasard. Les résultats qui ne dépassent pas ce que le hasard permettrait d'espérer sont des chiffres moyens et ne constituent pas une preuve d'ESP.

Comme nous l'avons indiqué au début du chapitre, le seuil de probabilité varie suivant les conditions, c'est-à-dire le nombre et le type de cartes. Quiconque obtient des résultats de quinze pour cent supérieurs à ce que le hasard permettrait d'espérer est doué. Si la marge est de vingt pour cent, l'action ESP ne fait plus de doute et le sujet a tout intérêt à poursuivre les expériences.

Même si l'exercice se déroule à l'intérieur d'une seule pièce, l'action ESP n'en est pas moins réelle. Elle est certes limitée dans l'espace, mais l'expérience prouve que la distance n'a guère d'importance en matière de clairvoyance. Quiconque obtient régulièrement un nombre de bonnes réponses supérieures de vingt pour cent au seuil de probabilité à une distance de deux à trois mètres obtiendra les mêmes résultats à une distance de cinq à dix kilomètres. Les grandes distances ne posent pas non plus de problèmes techniques. On peut par exemple enregistrer les résultats à une heure convenue ou les transmettre par téléphone.

Après ces essais de transmission de pensée et de clairvoyance à distance, nous franchirons maintenant une autre étape.

Troisième essai

Nous mettrons les cartes dans une boîte, les brasserons et les disposerons de nouveau sur la table en cinq rangées de cinq cartes sans que personne n'en ait connaissance. Nous les remettrons ensuite dans la boîte que nous placerons dans un autre contenant et ne demanderons que quelques jours plus tard au percipient d'identifier la position des cartes.

Il s'agit d'un exercice de rétrocognition dans lequel l'ESP ne s'exerce plus simultanément. Ayant déjà surmonté l'obstacle de l'espace dans l'exercice précédent, la clairvoyance doit maintenant disposer de celui du temps. D'ordinaire, le sujet qui a réussi l'exercice précédent obtient à peu près les mêmes résultats dans cet exercice.

L'exercice suivant est encore plus intrigant et plus passionnant puisqu'il porte sur le futur.

Quatrième essai

Nous demanderons au sujet de prédire la position des cartes que nous ne disposerons sur la table que dans trois jours ou dans trois semaines, à heure convenue. Il va de soi qu'il doit noter sa prédiction et n'en faire part à personne avant la fin de l'exercice. Le nombre des combinaisons reste le même : cinq rangées de cinq cartes, donc vingt-cinq cartes représentant cinq symboles différents.

Cet exercice participe déjà du domaine de la prémonition, de la prophétie, de la précognition de faits à venir — au delà de la simple intuition.

Si le sujet réussit cet exercice avec les cartes, il sera en mesure d'exercer son talent de voyant par d'autres instruments avec le même degré de succès. Il lui suffira de trouver un instrument qui ait une relation avec l'objet de sa prédiction.

Les voyants et les prophètes de tous les temps se sont ainsi servis de divers instruments pour faciliter leur concentration et jeter un pont entre le présent et l'avenir.

N'importe quel objet peut servir d'instrument, des cartes, des osselets, des bâtons, etc. C'est par la position des cartes ou des bâtons que le voyant peut lire l'avenir. Elle constitue en quelque sorte le pont qui le relie au futur.

Les auxiliaires de la précognition

Jadis, avant que les princes ne partent en guerre avec leur armée, les prêtres sondaient les nuages, le vol des oiseaux ou les entrailles des animaux pour savoir quelle serait leur fortune.

Des règles fixes, qui se sont établies avec le temps et qui ont été transmises par la tradition, régissaient chaque type de précognition.

Plusieurs des méthodes ou des auxiliaires de la précognition mentionnés plus bas peuvent paraître insensés, mais ils s'expliquent tous par l'histoire et la tradition de chaque peuple, par leur évolution à partir de tribus de bergers, par leur lien étroit avec la nature dans leur milieu respectif.

Aperçu des moyens utilisés par les voyants pour l'interprétation précognitive :
— Aeromancie : par des phénomènes atmosphériques (vent, pluie, soleil) ;
— Alectromancie : par la position d'un coq picorant des grains ;
— Amniomancie : par un chou pommé ;
— Arithmancie : par les nombres ;
— Anthroposcopie : par les traits du visage humain ;
— Astrologie : par les étoiles et les planètes ;
— Angurie : par le comportement des oiseaux ;
— Austromancie : par les vents et les tempêtes ;
— Axinomancie : par un axe en équilibre ;
— Bibliomancie : par des passages d'un livre ouvert au hasard ;
— Blétonisme : par les cours d'eau ;
— Botonomancie : par les brins d'herbes ;
— Capamancie : par la fumée ;
— Cartomancie : par des jeux de cartes ;

— Catoptromancie : par des miroirs ;
— Céromancie : par la forme des gouttes de cire tombant dans l'eau ;
— Chiromancie : par les lignes de la main ;
— Clairaudience : par l'écoute de choses qui ne sont pas audibles à l'oreille normale ;
— Clairvoyance : par la vision de choses qui ne sont pas visibles à l'œil normal ; la vision seconde ;
— Clédonisme : par des paroles ou des bruits au hasard ;
— Cléromancie : par une sorte de tirage au sort ;
— Coscinomancie : par les images qui se forment sur des corps polis ou des boules de verre ;
— Dactyliomancie : par les anneaux ;
— Gelescopie : par le rire d'une personne ;
— Géomancie : par la terre ;
— Gyromancie : par la giration d'une personne jusqu'à ce qu'elle tombe par terre étourdie ;
— Halomancie : par l'interprétation des dépôts de sel fondu ;
— Haruspication : par les entrailles des animaux ;
— Hépatoscopie : par le foie des animaux, notamment des moutons ;
— Hiéromancie : par les offrandes rituelles, les bâtons d'encens, etc. ;
— Horoscopie : par l'horoscope ;
— Hydromancie : par l'eau et les cours d'eau ;
— Ichthyomancie : par les poissons et leurs mouvements ;
— Lampadomancie : par la flamme de chandelles ou de flambeaux ;
— Lecenomancie : par les formes que prend l'eau versée sur de l'huile ;
— Lithomancie : par des pierres jetées par terre ;
— Margaritomancie : par des perles, leur couleur, leur façon de rouler ;
— Moléosophie : par des taches de naissance sur le corps ;

— Myomancie : par les mouvements de souris qu'on relâche soudainement ;

— Nécromancie : par la communication avec l'esprit de défunts ;

— Numérologie : par les chiffres et les noms ;

— Oneiromancie : par les rêves ;

— Onomancie : par les lettres d'un nom ;

— Onychomancie : par les ongles et leurs signes ;

— Ophiomancie : par le comportement de serpents ;

— Ornithomancie : par le vol des oiseaux ;

— Palmisterie : par les mains ;

— Pessomancie : par des galets que l'on lance ;

— Phrenologie : par la tête et sa forme ;

— Physiognomie : par le visage ;

— Psychométrie : par le contact avec un objet choisi entre plusieurs ;

— Pyromancie : par l'observation du feu et des flammes ;

— Rhabdomancie : par la baguette de sourcier ;

— Scapilomancie : par les omoplates d'animaux ;

— Scatoscopie : par l'interprétation d'excréments ;

— Sciomancie : par l'interprétation d'ombres ou de fantômes ;

— Scrying : par un cristal ;

— Sideromancie : par les mouvements de brins de paille sur un four chaud ;

— Sortilegie : par les sorts jetés ;

— Spodomancie : par les cendres ;

— Stichomancie : par le choix aveugle de sentences dans un livre ;

— Tephromancie : par les restes de cendres de sacrifices ;

— Theomancie : par l'oracle et les personnes inspirées par les divinités ;

— Uromancie : par l'urine ;

— Xylomancie : par des bâtons (voir rhabdomancie) ;

— Zoomancie : par le comportement des animaux.

Les expériences d'Upton Sinclair

Le célèbre écrivain américain Upton Sinclair a procédé à de nombreuses expériences dans divers domaines de la parapsychologie*.

Ses travaux nous semblent significatifs dans ce sens qu'ils confirment notre conviction que quiconque peut se livrer à des expériences en matière de parapsychologie pourvu qu'il y mette du temps et des efforts.

Le célèbre physicien Albert Einstein a d'ailleurs témoigné par écrit de la valeur des expériences de Sinclair peu de temps avant sa mort.

Upton Sinclair a lui-même relaté ses expériences comme suit :

«S'il est vrai qu'existe la télépathie, mon esprit ne m'appartient pas. Je ne suis qu'un percipient qui capte les pensées de tous les autres êtres de l'univers. Moi et l'univers, nous ne formons qu'un. Je savais naturellement depuis longtemps déjà que mon corps ne m'appartenait pas, qu'il captait les rayons solaires, les ondes de froid et les vibrations des sons, et que les éléments constituants de mon être se réorganisaient en conséquence sous une nouvelle forme. Certains des scientifiques les plus éminents du monde ont procédé à des essais de télépathie et en sont venus à la conclusion que la télépathie doit être considérée comme un fait avéré.

«Je me suis mis au travail et j'ai fait mes propres expériences. Mon beau-frère, homme d'affaires capable et pragmatique, n'attachait d'importance qu'aux faits. Dans sa philosophie existentielle, il n'y avait guère de place pour le mysticisme ou l'inconscient. Il a accepté de me servir d'agent pour la transmission de messages télépathiques. Il habite à cinquante kilomètres de distance, et il n'est donc

---

* Relatées dans *Radar der Psyche*, éd. Scherz, Berne/Munich.

pas possible de nous épier. Nous procédons de la manière suivante :

«Chaque jour, à treize heures, heure qui nous convient à tous les deux, il s'assied chez lui à la maison, à une petite table et dessine sur un papier un objet simple : un cercle, une étoile, un pingouin ou un éléphant. Ensuite, il se concentre sur le dessin et essaie de se faire une image mentale de ce qu'il a dessiné. Il essaie pendant un instant de ne pas laisser errer ses pensées. Il peut regarder le dessin, mais il doit s'efforcer de ne penser à rien d'autre.

«Le dessin doit me servir de preuve qu'il n'a effectivement pensé à rien d'autre à l'heure convenue. S'il pense à autre chose, si ses pensées vagabondent, il se peut que j'arrive à les capter à la dérive. S'il n'a pas conscience d'avoir laissé errer ses pensées, parce qu'il n'en a pas pris note, je n'ai aucune preuve qu'il a pensé à autre chose.

«Après s'être concentré sur son dessin durant quinze minutes, il le date et le met de côté jusqu'à ce que nous nous rencontrions et confrontions nos dessins.

«De mon côté, je m'étends sur le sofa, le corps complètement relaxé. J'atteins un état de rêve, presque d'inconscience, qui alterne avec un état de concentration intense. Sur une sorte d'écran gris dans mon esprit, j'attends l'apparition d'une image ou d'une forme de pensée. Si une forme apparaît, je la note immédiatement.

«Je prends un crayon et du papier et je note ce que je vois, j'en fais un dessin. De nouveau en état de complète détente, je reste attentif à toute autre vision télépathique. Si la première image revient, c'est la preuve qu'elle est juste. Au bout de quinze minutes, délai que nous avons fixé arbitrairement, je date mon dessin et le mets de côté jusqu'au jour où je le confronterai avec celui de mon beau-frère.

«Un jour, couché passivement dans l'attente d'une vision télépathique, une chaise m'apparaît avec précision. L'impression est extrêmement vive, et j'ai la conviction qu'il s'agit de l'objet que mon beau-frère, à cinquante kilomètres de distance, est en train de fixer.

« D'autres objets m'étaient déjà apparus très réels, mais la vision de la chaise est absolument convaincante. Je suis tout à fait certain de ne pas être dupe de mon imagination. Je suis tellement sûr qu'elle est l'objet de la pensée que me transmet mon beau-frère que je me lève d'un bond et cours au téléphone pour l'appeler.

« Sa femme est avec lui dans la pièce et ma femme est près de moi. Nous les appelons comme témoins car nous nous sommes promis au début de ces expériences de ne pas nous berner mutuellement ou nous laisser tromper par des illusions. La vision de la chaise m'a saisi à ce point que je suis impatient de la vérifier.

« Mon impression télépathique et le dessin que j'en fis étaient absolument justes. C'était notre premier grand succès.

« Avant la fin de l'été, ma femme, mon beau-frère, sa femme et moi avions acquis la conviction que la télépathie était un fait réel. »

La télépathie de groupe

La transmission et la lecture de pensée se prêtent à des exercices de groupe. Voici comment on peut procéder :

Le meneur de jeu se tient à un bout de la pièce tenant en main un jeu de cartes qu'il prend soin de dissimuler ; le groupe se tient à l'autre bout. On peut confectionner les cartes soi-même en utilisant des symboles simples comme des cercles ou des croix.

Le meneur de jeu prend une carte, la fixe, concentre son attention sur la couleur ou le dessin qu'elle représente, ferme ensuite les yeux pour projeter l'image dans l'esprit du groupe en formant le vœu qu'elle leur apparaisse. C'est lui qui annonce le début et la fin de l'exercice par un signal préalablement convenu. Les participants, munis de papier et de crayon, notent l'image qui leur est transmise.

Ou encore, on bande les yeux de l'un des membres du groupe, le plus jeune de préférence, et on l'installe au centre de la pièce. Le but est de l'amener à faire une action, comme d'ouvrir la porte, consignée d'avance par écrit dans une enveloppe cachetée.

L'agent, c'est-à-dire le groupe, doit se concentrer successivement sur chacun des mouvements que le percipient devra exécuter pour accomplir cette action. Ainsi, si le percipient est assis, l'agent devra se concentrer sur le fait qu'il doit d'abord se lever. Ensuite, selon l'endroit où se trouve la porte, le percipient devra effectuer un mouvement de rotation de 90 ou 180 degrés, se diriger vers la porte, saisir la poignée et l'ouvrir.

Si le groupe arrive à se concentrer suffisamment, les résultats seront le plus souvent positifs. Se concentrer veut dire ne penser qu'à une chose, sans faire d'efforts, pendant un laps de temps suffisamment long pour permettre au percipient d'exécuter sa mission.

Il va sans dire qu'on peut commander au percipient toutes sortes d'autres exercices comme de décrocher un tableau du mur, de prendre un livre ou un magazine, etc.

La clairvoyance : une affaire d'entraînement

Le voyant Geof Gray-Cobb écrit :

« Le développement de la clairvoyance requiert un entraînement aussi bien que d'apprendre à jouer du piano ou à parler une langue étrangère. La clairvoyance est innée chez chaque individu, mais il faut beaucoup d'efforts et d'attention pour entendre et voir à l'intérieur de nous-mêmes les mots et les images qui nous renseignent sur l'avenir. La boule de cristal, les astres, les cartes, le tarot et tous les autres instruments de concentration peuvent être utiles pour la lecture de l'avenir. Pourtant, j'ai tendance à penser que ces accessoires sont superflus car tout homme est capable, avec un peu d'entraînement, de se relaxer, de se mettre en état de demi-transe et de voir son propre destin. Il arrive parfois d'entrevoir l'avenir en rêve, mais les images de rêve s'embrouillent quand on essaie de les évoquer consciemment. Pour le débutant, c'est un bon exercice que de noter ses rêves et de tenter de les interpréter. »

Une énergie mystérieuse

Le professeur David Koch, de l'université de la Californie, à Berkeley, procède à des travaux qui devraient bientôt permettre d'exercer une sorte de contrôle sur le cerveau, les fonctions mentales et les états d'âme à l'aide de drogues, de produits chimiques ou d'ondes électriques. Le Dr Koch se fonde sur des expériences analogues menées par le professeur Léonid L. Vassilief et relatées dans un livre qui fit sensation, *Experimentelle Untersuchungen der Mentalsuggestion* (Recherches expérimentales sur la suggestion mentale)*. On sera donc en mesure dans un avenir rapproché de jeter un éclairage nouveau sur des phénomènes restés jusqu'ici inexplicables.

« Le phénomène de la suggestion mentale, de la transmission directe de pensée ou de la télépathie, écrit le professeur Vassilief, consiste dans la transmission d'impressions, de pensées, de sensations, etc., d'une personne à une autre, de même que dans le pouvoir de provoquer le sommeil hypnotique. Dans tous les cas, les résultats, indépendamment des mots ou des signes, sont la conséquence d'une communication directe entre les organes sensoriels.

« Chaque fois qu'un individu ressent ou voit ce qui se passe chez une autre personne, éloignée de lui, qui vit des moments de grande tension nerveuse et psychique, c'est un cas de télépathie spontané.

---

* Paru aux éditions Francke, Berne/Munich.

« Il faut se demander si l'information télépathique est transmise directement de cerveau à cerveau (induction intercérébrale), sans l'intervention de récepteurs ou d'organes sensoriels connus ou inconnus, ou si elle passe par des récepteurs spéciaux destinés à capter l'énergie qui la transporte. »

La parapsychologie est encore loin d'avoir résolu une autre question qui est peut-être la plus importante, à savoir la nature physique du processus télépathique.

Quelle est cette énergie que produit le cerveau de l'agent? Comment transmet-elle l'information télépathique à travers l'espace et de quelle manière s'introduit-elle dans le processus nervo-psychique du percipient après avoir pénétré son cerveau (ou, selon une autre conception, après avoir activé un organe sensoriel périphérique particulier qui reçoit ces informations télépathiques)?

L'hypothèse électromagnétique, qui semblait pouvoir expliquer le processus télépathique, ne s'est pas vérifiée.

Les expériences au cours desquelles on a séparé l'agent du percipient par des plaques de métal ont conduit à des résultats qui infirment plutôt qu'ils ne renforcent l'hypothèse électromagnétique.

D'après Kherumian, l'hypothèse électromagnétique qui rappelle la télégraphie sans fil en ce qu'elle assimile l'agent à l'émetteur et le percipient au récepteur aurait été abandonnée par la plupart des parapsychologues. Il est significatif que même Hans Berger, célèbre électrophysiologue contemporain et créateur de la méthode encéphalographique, l'ait abandonnée, lui qui s'en était fait un ardent avocat.

Kherumian considère la matière méta-éthérique et ses processus internes comme une matière *sui generis* avec ses propres processus qui ne sont pas encore mesurables par des appareils physiques. C'est pour cette raison qu'il faut se servir d'un détecteur vivant, notamment le cerveau du percipient. Kherumian, parapsychologue et matérialiste, propose toutefois une méthode d'exploration de l'énergie méta-éthérique.

« Cette énergie qui, comme nous le supposons, véhicule l'information parapsychique (entre autres, les informations télépathiques) ne ressemble incontestablement à aucune des formes d'énergie que nous connaissons. Plusieurs indices nous permettent cependant de croire qu'elle possède des qualités qui sont caractéristiques de formes d'énergie connues. Il est donc logique que nous commencions par l'exploration des aspects les moins énigmatiques. Le meilleur moyen de cerner le problème et d'isoler l'énergie spécifiquement parapsychologique, donc incompatible avec les formes que nous connaissons déjà, serait de construire des appareils tels que nous les connaissons en cybernétique dans le but de reconstituer la transmission télépathique comme elle se déroule en réalité. »

D'éminents scientifiques sont déjà engagés sur cette voie. Ainsi, le physicien allemand et prix Nobel Pascual Jordan et le Dr B. Hoffmann, ancien collaborateur d'Einstein, supposent que le champ gravitationnel a certaines ressemblances avec cette énergie qui transmet l'information télépathique : l'un comme l'autre agissent sur de très grandes distances et traversent tout obstacle.

De telles observations, bien qu'elles ne prouvent encore rien, montrent que la question de la nature énergétique de la suggestion mentale n'est pas vaine : elle commence à préoccuper les esprits d'une discipline scientifique d'avant-garde, la physique. C'est une garantie que la question sera tôt ou tard éclaircie.

Les cheveux comme antennes

Le Dr Henri Alain, parapsychologue français, a fait une constatation étonnante qui est aujourd'hui l'objet de nombreuses expériences.

Il a constaté

● d'une part, que les femmes aux cheveux longs et fins sont plus aptes à capter les ondes électriques, c'est-à-dire les ondes mentales ou ondes de pensée;

● d'autre part, que les individus très poilus, ceux dont la pilosité, et particulièrement la barbe, est abondante, sont d'excellents émetteurs.

Cette observation surprenante requiert des explications car il est difficile d'admettre qu'un homme soit meilleur récepteur d'ondes et un autre meilleur émetteur. Il suffit d'une brève explication pour faciliter la compréhension. Le cheveu est un tube de corne. Il contient de l'arsenic, du fer, du cuivre et du manganèse. Ce tube est enraciné dans le cuir chevelu par ce qu'on appelle le bulbe pileux. Le cuir chevelu et ses bulbes pileux constituent un réseau de vaisseaux lymphatiques qui contiennent beaucoup d'eau et de sel (ce que nous disons du cuir chevelu s'applique évidemment à toutes les parties pileuses du corps). Le tube de corne des poils du corps est plus fort, plus dur et souvent plus long puisqu'on le coupe très rarement et il est muni d'une pointe très fine qu'on pourrait appeler pointe d'antenne.

Tous les processus qui, dans le corps humain, déclenchent un mouvement suscitent d'abord une réaction chimique, puis une réaction électrique. Ainsi, presque chaque mouvement des muscles produit de l'électricité dans les cellules.

Lors d'activités soutenues, d'excitations vives ou de tensions correspondantes dans l'atmosphère, l'électricité du corps augmente. Dès qu'elle dépasse la quantité tolérable pour le corps, elle cherche à s'échapper et le fait en passant par le cuir chevelu, c'est-à-dire par les tubes de corne (les cheveux).

Par le même processus, mais en sens inverse, ces tubes de corne sont évidemment en mesure de capter de l'électricité et de produire des mouvements ondulatoires ou des réactions chimiques dans le corps.

Nous ne savons pas encore toutes les conditions que requièrent l'émission et la réception des ondes du cerveau. Théoriquement cependant, ces conditions sont assez connues pour que nous puissions commencer à comprendre et à interpréter simplement des phénomènes qui ne cessent de nous étonner.

Nous avons tous connu des personnes très sérieuses qui sont allées visiter des diseuses de bonne aventure ou des voyantes et se sont fait dire des choses du passé ou du présent que personne, sauf elles, n'était en mesure de savoir.

Si nous nous rapportons aux travaux du Dr Henri Alain, l'explication est simple :

● les sujets se tiennent en général à moins de deux mètres de la diseuse de bonne aventure, distance optimale pour la transmission, l'émission et la réception des pensées par les cheveux ;

● les sujets savent pour quel motif ils consultent la voyante : ils connaissent leur problème et déjà, inconsciemment, la solution ;

● si la voyante est bonne réceptrice, il lui suffit de capter les ondes de pensée des sujets et de les reproduire, en d'autres termes de dire ce qui lui vient à l'esprit.

L'état actuel de la recherche dans cette matière démontre que notre système pileux, sur la tête, sur le corps et sur le visage, constitue un réseau électrique de première valeur fonctionnant à partir de courants extrêmement fins.

Un brin d'histoire : il fut un temps où chefs de famille, médecins et enseignants portaient tous la barbe. Selon le Dr Henri Alain, ils se faisaient pousser la barbe non seulement pour souligner leur autorité, mais aussi parce qu'ils savaient (consciemment ou inconsciemment) que leur pouvoir suggestif, leur faculté d'influencer les autres s'en trouvaient singulièrement augmentés. À cette époque, on ignorait tout de la radio et des ondes de pensée, mais il était clair que les médecins qui disaient à leurs patients en se caressant la barbe qu'ils étaient sur le chemin de la guérison passaient pour les meilleurs.

Ce n'est pas un hasard non plus si les élèves des écoles et des collèges portaient les cheveux longs et ne se les faisaient couper qu'au moment de quitter leurs études lorsqu'ils n'avaient plus à capter, à la manière d'un poste de radio, les ondes de pensée de leurs maîtres barbus.

Les parapsychologues anglais prétendent depuis longtemps que le pouvoir mystérieux de certains gros chats noirs (surtout les mâles à grandes moustaches) d'hypnotiser des oiseaux est principalement attribuable au fait qu'ils émettent en direction de leurs proies des ondes paralysantes.

Nous comprendrons peut-être mieux maintenant pourquoi les moines bouddhistes ont le crâne rasé et le menton vierge. Ils se sont détournés de ce monde. Ils ne veulent rien émettre ni rien recevoir. Ils sont totalement absorbés par le monde de l'au-delà, hors du pouvoir terrestre de la suggestion et de l'influence de leur entourage.

Le fait que les cheveux jouent un rôle très important dans l'économie électrique du corps humain a récemment été mis en évidence de façon dramatique :

● la méthode la plus rapide et la plus sûre de détecter l'empoisonnement radioactif est l'analyse du contenu radioactif des selles des cheveux ;

● en cas d'empoisonnement radioactif, les cheveux tombent la plupart du temps ; l'économie électrique du corps étant complètement bouleversée par la radioactivité, elle réagit d'abord en se débarrassant de ses tubes cornés.

CHAPITRE IV

L'auto-apprentissage de la télépathie et de la clairvoyance

Des exercices faciles aux plus difficiles

David Hoy, médium et praticien ESP dont l'autorité en matière de perception extra-sensorielle est mondialement reconnue par la presse, la radio, la télévision et les institutions d'enseignement, se disait d'opinion dans une interview récente que n'importe qui pouvait développer ces pouvoirs extraordinaires, pourvu qu'il le veuille.

« Durant mes années d'activité publique, disait-il notamment, j'ai souvent été à même de vérifier l'hypothèse que n'importe quel homme peut développer l'énergie mentale nécessaire pour émettre et recevoir des messages télépathiques. Les expériences que j'ai faites me permettent de conclure que chacun peut acquérir une certaine maîtrise de la transmission et de la lecture de pensée. »

Par télépathie, nous entendons l'échange direct d'esprit à esprit. La transmission de pensée s'effectue sans parole, sans auxiliaire extérieur, par l'esprit et l'intuition. C'est un processus tout à fait naturel, auquel tout homme est prédisposé dès sa naissance.

Qui s'adonne à la télépathie peut arriver à un haut degré de maîtrise et enrichir ainsi singulièrement sa vie personnelle, dit David Hoy. Mais rapportons-nous-en plutôt au texte de l'interview :

QU.— Quels exercices recommandez-vous au début d'un cours d'auto-apprentissage de télépathie ?

R.— Je propose d'expérimenter d'abord avec des choses simples et relativement sans importance. Quand le téléphone sonne, ne répondez pas sur le champ. Réfléchissez un instant et essayez de deviner qui est à l'autre bout du fil. Il vous suffira au début de déterminer s'il s'agit ou non d'un membre de votre famille. Quand vous serez parvenu à déterminer avec assurance au bout de quelques exercices si votre correspondant est un membre de votre famille ou non, vous pourrez passer à d'autres épreuves comme de deviner s'il s'agit d'un homme ou d'une femme. Ensuite, vous vous interrogerez sur les raisons de son appel. Le but de l'expérience est d'arriver à savoir qui et pourquoi on vous appelle avant de décrocher le récepteur.

QU.— Y a-t-il d'autres tests simples de télépathie?

R.— Le test du téléphone vous permettra de déterminer qui vous appelle et pourquoi il vous appelle. La prochaine étape sera de répondre à l'appel télépathiquement.

Un test fréquent chez les couples est celui des emplettes. Tandis que le mari est encore au travail et que la femme prépare le dîner, elle lui adresse un message télépathique : «Achète une livre de beurre avant de rentrer, s'il te plaît!» Le mari enregistre le message et rapporte l'article à la maison. Ces exercices sont un excellent apprentissage et sont relativement faciles entre membres de la même famille, mère, fils, frère, sœur, etc.

QU.— Mais il existe sûrement au début un danger de méprise. Comment peut-on éviter ces erreurs?

R. — Reprenons l'exemple du couple : si le mari demande à sa femme depuis son lieu de travail de lui préparer un certain plat et que le message est mal capté, ce ne sera qu'un léger contretemps que le couple doit accepter avec humour. La relation télépathique entre deux personnes repose sur des sentiments profonds d'amour et de confiance. Entre personnes qui ont beaucoup d'affection l'une pour l'autre, cette relation peut s'établir spontanément. N'y aurait-il rien de plus excitant qu'un rendez-vous convenu par télépathie entre deux amoureux?

L'expérience montre que les facultés se développent par une pratique constante et que les sources d'erreurs diminuent. Les exercices devraient être soutenus jusqu'à ce qu'on obtienne des résultats sûrs. L'exactitude est primordiale lorsqu'il faut établir un contact rapide dans les cas d'urgence. La télépathie est un phénomène psychique aussi bien que sentimental ou intuitif. C'est pourquoi il est particulièrement facile d'établir un contact télépathique dans des moments de grande joie, de peine ou de grand danger.

QU.— Quels mécanismes sont mis en branle par la transmission de pensée? Sous quelle forme reçoit-on les pensées qui sont dirigées vers nous par ondes mentales?

R.— Le message télépathique qui est chargé émotivement prend d'ordinaire à la réception une forme très concrète. Le percipient a conscience du contenu émotif du message. Les images ou fragments d'images qu'il reçoit sont souvent si nets qu'il peut les traduire par des mots. Les émotions fortes peuvent suffire à déclencher le processus télépathique. Le percipient doit se mettre dans un état d'attente et de vigilance réceptive. Il pressentira le message avant même qu'il ne lui parvienne.

QU.— Y a-t-il des différences fondamentales entre les gens qui pratiquent la télépathie?

R. — L'état d'âme peut différer d'un individu à l'autre. Mais, règle générale, les mêmes qualités se retrouvent chez tous : sensibilité, réceptivité, calme, relaxation et patience.

Il est indispensable que l'agent laisse parler ses sentiments sans réserve et sans y ajouter de spéculations intellectuelles. Le percipient, de son côté, doit faire confiance au message qu'il reçoit.

Sept règles de base

QU.— Il n'est certes pas facile pour tous de maîtriser la télépathie puisque la transmission de pensée s'expose constamment à l'interférence d'ondes mentales étrangères.

Il serait donc souhaitable de développer une méthode qui protège le champ d'ondes personnelles de toute intrusion psychique étrangère, qu'elle soit spontanée, accidentelle ou volontaire. Quelles sont les possibilités à cet égard?

R.— La construction d'un pont mental sans défaut et à l'épreuve de toute interférence est un des devoirs les plus importants de notre époque. Il faut entrevoir prochainement de grands progrès dans ce sens. J'ai moi-même élaboré sept règles de base qui tendent vers ce but :

1.   Soyez prêt

Être prêt veut dire reconnaître que la télépathie joue un rôle dans la vie. Par cette seule attitude, vos facultés latentes se trouveront sur la voie de l'épanouissement.

2.   Ayez un but

La télépathie fonctionne mieux lorsqu'on a un but précis. Il est utile que ce but puisse se traduire par une image bien définie. Le but sert de force d'attraction à la manière d'un aimant et permet de capter le message plus facilement.

3.   Réalisez vos rêves

Vous pouvez recourir à la télépathie pour réaliser vos rêves, par exemple pour forger de nouvelles amitiés. Elle peut aussi favoriser l'éclosion de talents cachés. Enfin, elle peut vous éclairer sur l'avenir.

4.   En télépathie, limitez-vous toujours à l'essentiel

Concentrez-vous sur une seule pensée et transmettez-la plusieurs fois par intervalles. Il faut chasser pendant ce temps toutes les autres pensées de votre esprit.

5.   Soyez réceptif

Vous devez être prêt à recevoir aussi bien qu'à transmettre des pensées. Vous aurez bientôt la certitude d'avoir établi un contact si vous agissez à la fois comme agent et comme percipient.

6. *La pratique est gage de succès*

La qualité de la communication télépathique est fonction de la pratique. Il est bien connu que l'homme n'exploite qu'un faible pourcentage de ses facultés mentales, même de celles dont il est conscient. L'exercice des facultés télépathiques est encore plus restreint, étant limité à un tout petit nombre d'individus.

7. *Évaluez correctement*

Dans la réception des messages télépathiques, il faut savoir distinguer entre l'impression et l'assurance d'avoir tout enregistré correctement. Il est indispensable de juger chaque image en fonction de ces critères d'évaluation.

Test d'aptitude

Le questionnaire qui suit vous permettra de mesurer votre aptitude pour l'ESP. Répondez par oui ou par non à chacune des questions.

	Oui	ou	non
Lorsqu'on vous regarde dans le dos, le sentez-vous toujours clairement ?	. . .		. . .
Avez-vous la prémonition des accidents ?	. . .		. . .
Avez-vous déjà pressenti correctement la mort ou la maladie d'une de vos connaissances ?	. . .		. . .
Savez-vous au passage du facteur s'il vous apporte une lettre ?	. . .		. . .
Vous arrive-t-il d'avoir des intuitions qui se vérifient ?	. . .		. . .
Avez-vous déjà choisi par intuition un billet gagnant à la loterie ?	. . .		. . .

Percevez-vous dans votre for intérieur une voix qui vous prodigue
des conseils ?   · · ·   · · ·
Vous arrive-t-il souvent non seu-
lement de penser mais de dire la
même chose qu'une personne qui
vous est proche ?   · · ·   · · ·
Pouvez-vous vous concentrer sur
l'heure ou la minute précise à laquelle vous désirez vous éveiller
au milieu de la nuit ou le matin ?   · · ·   · · ·
Pouvez-vous identifier correcte-
ment plus de vingt pour cent d'un
jeu de dix cartes cachées ?   · · ·   · · ·
Pouvez-vous percevoir dès l'ins-
tant où vous la rencontrez
l'influence qu'une personne exer-
cera sur votre vie ?   · · ·   · · ·

Si vous avez répondu oui à plus de sept questions,
c'est que vous êtes très doué pour l'ESP. Si vous avez répondu oui à moins de cinq questions, votre aptitude pour
l'ESP varie de moyenne à nulle. Si vous avez répondu non
à toutes les questions, c'est que votre vie intérieure est
atrophiée, soit par le stress abrutissant de la vie moderne,
soit par un excès de stimulants et d'excitants de toutes sortes. Vous n'entendez plus cette voix de la conscience qui
vous exhorte ou vous met en garde ou vous renseigne sur
l'avenir. Il ne vous reste plus qu'à vous reposer sur d'autres
qui ont le don de double vue.

L'idée K

Le professeur Whately Carington a avancé l'hypothèse
de l'idée K pour expliquer la télépathie.

Il soutient que la transmission de pensée est toujours
possible lorsque l'idée K se retrouve à la fois chez l'agent

et le percipient. L'idée K pourrait constituer une sorte de pont vers le passé ou vers l'avenir.

Que signifie l'idée K?

Supposons que l'agent A transmet à B, le percipient, l'idée ou le souvenir d'un crocodile.

Si A et B, par entente ou autrement, ont un concept commun du crocodile, alors le message de A peut réveiller dans l'inconscient de B l'image du crocodile.

L'idée commune, c'est-à-dire l'idée K, est donc le lien entre A et B. Si A se concentre intensément sur l'idée commune (qui est dans ce cas un crocodile), l'image du crocodile devrait surgir d'abord dans l'inconscient, puis dans le conscient de B.

Les sceptiques objecteront que dans ces conditions tous ceux qui ont déjà vu un crocodile ou y associent un certain souvenir devraient réagir au même moment, mais Carington affirme d'après ses observations qu'un souvenir personnel très précis doit y être attaché.

Si nous admettons l'hypothèse du professeur Carington, aucun obstacle ne s'oppose donc à la transmission de pensée à partir d'une idée K entre proches parents. Nous savons des cas où la mère voyait soudainement apparaître son fils absent, l'entendait parler ou le voyait vivre certaines scènes que le fils venait plus tard confirmer.

Comme l'homme en général a du mal à s'arracher à ses distractions et à se couper du monde extérieur à l'appel de l'idée K, ces phénomènes de transmission de pensée se manifestent le plus souvent en rêve. Nous sommes alors en présence de ces prétendus « rêves de vérité » (Wahrträume) qui en fait ne sont rien d'autre qu'un pont ou l'idée K reliant par exemple une mère et son fils ou des frères et des sœurs. Il s'agit en tout cas presque toujours de membres de même famille chez qui on peut supposer l'existence de radios cérébrales identiques, conditionnées par hérédité et pareillement syntonisées.

Les gens liés par l'idée K le sont pour toujours, sauf si un traumatisme cérébral, une maladie grave ou un dysfonctionnement cérébral vient détruire les constructions délicates de certaines fibres du cerveau.

Il est intéressant de noter dans ce contexte les expériences faites par des psychologues chez des couples mariés. Ainsi, on a pu repérer un couple qui avait fait durant la nuit un rêve identique, un rêve qui se complétait en quelque sorte.

La femme avait rêvé qu'elle allait enterrer son mari. Elle avait vu le cortège funèbre et avait noté qu'il se dirigeait vers le mauvais cimetière. À cet instant précis, elle avait été éveillée brusquement par les cris de son mari qui disait : «Mais pas par là, c'est la mauvaise direction!»

Il avait aussi rêvé qu'il reposait dans un cercueil et qu'on le portait au cimetière. En levant la tête, il s'était aperçu qu'on se trompait de direction et s'était donc laissé aller à ces cris qui s'inséraient parfaitement dans le rêve de sa femme.

Le Dr Eugène Osty a soigneusement analysé ce rêve parallèle et quantité de cas analogues dans lesquels lui semblaient être à l'œuvre non seulement l'idée K, mais d'autres fonctions du cerveau se rapportant directement ou indirectement à l'intuition et au sens du temps, de l'avenir, de la distance et de l'espace.

Pourquoi tous en sont capables

Le psychologue français René Warcollier part également de l'idée K, mais il ne se satisfait pas du postulat des souvenirs communs. Il suffit, dit-il, que les souvenirs soient identiques. Il élargit donc considérablement le champ de la transmission de pensée.

Ainsi, il savait qu'un certain tableau était connu de plusieurs personnes qui lui semblaient aptes à recevoir des pensées. Il leur transmit donc l'impression globale de ce tableau. Le résultat fut remarquable.

Chaque percipient avait reçu l'image du tableau et enregistré un message qui ne portait que sur un détail.

Le premier avait retenu l'image d'une bague, d'une toute petite bague sans signification qui figurait comme un détail dans le tableau. Un deuxième vit les contours d'une chaussure et un troisième, uniquement la silhouette d'un visage.

Warcollier crut lire dans ces résultats la preuve qu'un souvenir identique qui n'est pas forcément commun peut servir de base à la transmission de pensée et à la clairvoyance au delà de l'espace et du temps.

Reste que la consanguinité ou l'amour sont les meilleures prémisses de l'idée K et, en conséquence, de la télépathie et de la clairvoyance. Des êtres, séparés par un destin implacable mais liés par un amour profond, peuvent joindre leur pensée avec une précision surprenante sans être gênés par l'espace et le temps.

Comme nous l'avons déjà fait remarquer, on suppose qu'il existe chez tous les êtres humains un fond, une prédisposition, un germe qui font qu'en théorie tout homme est apte à vaincre l'espace et le temps.

Si tous les hommes étaient encore apparentés, si des distinctions de race, de religion ou d'autres ne s'étaient pas établies entre eux, ils seraient capables de transmettre et de recevoir des pensées à volonté, de saisir même les pensées inconscientes des autres, de les sentir, justement parce qu'il s'agit d'un don naturel. Regardons simplement autour de nous : les fourmis, les abeilles, certains chiens, les chats, les pigeons voyageurs et les hirondelles disposent de ce pouvoir quasi électrique qui est pour ainsi dire rouillé chez l'homme parce qu'il ne s'en sert pas.

Selon certains biologistes, cette dégénérescence chez l'homme est attribuable au développement du langage articulé. Pourquoi l'homme transmettrait-il encore des pensées quand il peut les exprimer? L'acquisition du langage aurait donc été un progrès dans un sens, mais une régression dans l'autre.

Il n'en reste pas moins que les prédispositions naturelles à la transmission et à la réception de pensée existent encore à l'état latent et peuvent être mises en œuvre pourvu qu'on le veuille et qu'on les développe.

Les quelques voyants et clairvoyants contemporains actifs n'ont évidemment pas besoin de l'idée K pour surmonter le doute et l'incertitude. Par une fantaisie de la nature — par hérédité ou autrement —, ils ont conservé la faculté de s'échapper hors du temps et de l'espace.

On n'ignore pas que les clairvoyants sont plus nombreux dans certaines régions du monde que dans d'autres. Dans la landes de Lunebourg, en Frise, en Écosse, et dans certaines régions reculées du sud et de l'ouest de la France, il existe des clairvoyants dont le grand-père ou la grand-mère possédait le don de double vue. Il se peut qu'il s'agisse d'un phénomène d'hérédité ou que leur sixième sens soit plus développé que le nôtre du fait que leurs aïeux n'ont pas perdu l'habitude de la méditation intérieure.

Dans les instructions qui suivent, destinées à ceux qui s'aventurent courageusement dans le domaine passionnant de la clairvoyance au delà du temps et de l'espace, nous nous permettons de rappeler ce que nous avons déjà dit à propos des expériences en série. Ces exercices peuvent varier, mais non pas les conditions dans lesquelles ils doivent s'effectuer. Ils sont de nature fondamentale et constituent les bases essentielles pour le nouveau champ d'étude que nous vous proposons maintenant.

Celui qui aura assimilé les exercices préparatoires saura jusqu'à quel point il peut réactiver cet organe atrophié, ce sens dégénéré ou perdu qui le mènera vers l'idée K.

Si on procède aux essais méthodiquement, en y mettant la patience et le temps voulu, on ne risque pas d'échec total d'après notre expérience. C'est la confirmation que la faculté de clairvoyance sommeille en nous tous et ne demande qu'à être éveillée pour s'épanouir comme au temps où les hommes étaient frères et sœurs et s'entendaient sans parler, communiquant par la pensée ou, comme nous disons aujourd'hui, par l'idée K.

Trois points sensibles

Trois régions du corps se révèlent particulièrement sensibles chez les télépathes :

· *le côté droit de la nuque*

Durant les expériences de clairvoyance, on a fréquemment constaté des douleurs lancinantes localisées dans la partie droite de la nuque chez les sujets. Le succès des essais était plus marqué lorsqu'on recouvrait cette partie du corps des sujets d'un linge mouillé et d'une plaque de métal.

· *l'index de la main droite*

En chirologie, l'index est le principe de Jupiter. Les radiations de l'index revêtent aussi une importance particulière dans le magnétisme de Messmer et de ses disciples.

· *le troisième point sensible se situe quelque part entre le mollet et la cheville également du côté droit.*

D'après les expériences du professeur R.C. Callegaris de Rome, le point le plus sensible est le côté droit de la nuque.

On s'efforce actuellement d'augmenter la distance entre l'agent et le percipient. En répérant les points sensibles sur le corps et en utilisant des appareils enregistreurs et amplificateurs très perfectionnés, on espère pouvoir rendre la transmission de pensée généralement accessible dans l'avenir.

Le fait que le professeur Rhine ait mobilisé jusqu'à 10 000 personnes pour certaines de ses expériences témoigne bien de l'importance qu'on accorde aujourd'hui à cette discipline de la science. Le professeur Rhine exigeait au moins vingt pour cent de succès de ses sujets pour se qualifier dans ses tests. Les sujets obtenant quarante pour cent ou plus étaient considérés comme exceptionnellement doués et ils étaient retenus pour prendre part à des expériences plus poussées.

La science moderne aborde le problème de la clairvoyance avec autant de méthode et de rigueur que les autres sujets qui la préoccupent. Pour notre part, nous proposons des instructions précises qui permettront à chacun de relever chez lui ou dans son entourage des talents cachés et peut-être même de détecter des talents exceptionnels.

Nous nous en voudrions de clore ce chapitre sans parler d'un phénomène auquel les scientifiques ont porté beaucoup d'intérêt ces derniers temps : le prétendu « sens de la distance » chez les aveugles. Il ne s'agit pas du sens de la distance et de l'espace que nous possédons tous sous une forme ou sous une autre et qui, selon notre origine ou notre profession, est plus ou moins atrophié ou développé. Il s'agit d'un sens tout à fait différent qu'on observe particulièrement chez les aveugles et qui n'a aucun rapport avec des phénomènes acoustiques ou les ondes de sons puisqu'on le trouve aussi chez les aveugles sourds-muets.

On suppose que l'homme disposait autrefois d'une certaine faculté semblable à celle de la chauve-souris qui sait éviter les moindres obstacles même dans l'obscurité parce qu'elle possède dans la peau, et particulièrement dans les ailes et la tête, une sorte de radar, un « sens du toucher à distance », qui émet et reçoit dans une fraction de seconde des ondes électriques ou des ondes de sons. À la manière d'un cerveau électronique, la chauve-souris en tire des conclusions et se comporte en conséquence.

On suppose que ce sens de la distance chez les aveugles est localisé dans la région du front et des tempes. On a constaté que les objets qu'on approchait d'eux à leur insu ne pouvaient être perçus s'ils n'étaient pas en ligne avec cette partie de la tête. Les sensations de chaleur sont à exclure. Il doit s'agir d'un sens particulier de la peau, de ce même sens qui amena le psychiatre H. Goodman à se poser la question de savoir si nous étions en mesure de «penser» ou de «voir» avec la peau. Aussi fantastique qu'elle paraisse de prime abord, cette hypothèse est d'autant plus vraisemblable que la substance grise qui recouvre aujourd'hui le cerveau était originellement de la peau.

À partir de l'hypothèse du Dr Goodman, on en arriva à la conclusion que toute la fonction sensitive chez l'homme était autrefois accomplie par la peau. Elle fut transférée progressivement à la peau intérieure, c'est-à-dire la méninge. Mais l'homme n'a pas encore tout à fait abandonné l'usage de ce «cerveau cutané extérieur». Les nerfs font la liaison entre lui et celui de l'intérieur (le cerveau proprement dit), avec lequel nous croyons penser exclusivement.

Le fait qu'il existe encore sur le corps des points particulièrement sensibles à la transmission de pensée, et qu'on en découvrira probablement d'autres dans l'avenir, confirme l'hypothèse que tout notre être était autrefois émetteur et récepteur. C'est le développement extraordinaire du cerveau intérieur qui fit s'atrophier la fonction de la peau. Il devrait néanmoins être possible de remettre en œuvre ce «cerveau externe».

Selon le Dr Binet-Sanglé, les sujets les plus aptes à la clairvoyance et à la télépathie sont ceux qui éprouvent une sensation de chaleur dans le dos, particulièrement dans la région des omoplates, à l'approche de la main et se sentent irrésistiblement tirés vers l'arrière. Il est bien connu que les faisceaux de nerfs les plus importants quittent la colonne vertébrale au niveau des omoplates. Ce sont les faisceaux dont dépend le fonctionnement du cœur, du plexus solaire et de toute la cage thoracique.

Les règles de base de la clairvoyance

Partant de la conviction que la clairvoyance et la double vue sont des dons individuels et ne se manifestent pas en groupe, il nous paraît important de préciser que les sujets peuvent se livrer à toutes sortes de variantes des exercices que nous proposons. Les êtres doués de clairvoyance sont par essence des individualistes. Il y a donc beaucoup de chemins qui mènent au succès.

Nous renvoyons le lecteur aux exercices énumérés dans le chapitre III pour l'apprentissage de l'ESP. Les méthodes d'entraînement à la clairvoyance ne sont pas fondamentalement différentes des règles d'apprentissage de la télépathie.

Nous laissons à chacun le soin de choisir les exercices qui lui conviennent.

Ce que nous savons des points récepteurs et émetteurs du corps, du « radar des pensées » et du passage à la quatrième dimension nous permet d'envisager la maîtrise de la clairvoyance. Il n'est pas possible d'aller plus loin pour l'instant. Le reste dépend de l'entraînement et de l'effort individuels. Nous avons cependant donné des points de repère si clairs que tout intéressé sait désormais que la clairvoyance est à sa portée et qu'il peut y arriver par plusieurs chemins.

La machine à lire les pensées

Depuis des années, les psychiatres cherchent le moyen de reproduire sur un écran les réactions psychiques et les processus mentaux en général. Ils auraient ainsi un accès direct au cerveau et au système nerveux. Le but est d'enregistrer, au delà des ondes cérébrales connues, les variantes des fonctions cérébrales selon le développement de la pensée ou selon les impressions qui frappent le cerveau de manière à pouvoir ensuite en interpréter le diagramme.

La machine à déceler le mensonge, dont l'usage est souvent fort contesté, est un premier pas dans cette direction. Mais il lui faut s'appuyer sur le langage, c'est-à-dire qu'elle enregistre les réactions à un questionnaire précis.

On a réussi au cours de certaines expériences à éliminer le langage.

Des psychiatres de l'université Stanford sont parvenus à « lire les pensées » à l'aide d'un cerveau électronique et à pénétrer ainsi dans l'univers privé des sujets qui se sont prêtés à l'expérience. Ils leur ont montré des images de femmes et d'hommes nus et ils ont pu déterminer, à la lecture de l'encéphalogramme, les images qui leur plaisaient le plus. Ils ne cherchaient qu'à noter des différences de concepts et d'impressions.

Le *Praxis-Kourier* relate l'expérience comme suit :

« Les quatre chercheurs, Ronald M. Costell, Donald T. Lunde, Bert S. Kopell et William Wittner, recrutèrent pour leurs essais 12 étudiantes et 12 étudiants. Chaque sujet s'installa dans une cabine à l'épreuve du son reliée à un électro-encéphalographe. Les images apparaissaient sur un écran d'abord pendant une demi-seconde, puis de nouveau, après une pause d'une seconde et demie, pendant deux secondes.

« La phase déterminante était la pause : pendant cette seconde et demie, des oscillations caractéristiques apparaissaient sur l'électro-encéphalographe indiquant le degré de tension d'expectative éveillé chez le sujet. Pour garantir l'interprétation objective des électro-encéphalogrammes, les chercheurs se servirent d'un ordinateur spécialement programmé pour l'analyse des ondes cérébrales.

« Les résultats furent sans équivoque : tous les sujets avaient déclaré avant l'expérience qu'ils n'avaient d'inclinations que pour le sexe opposé; l'électro-encéphalogramme ne révéla effectivement qu'un faible intérêt pour les images des personnes du même sexe. »

On put ainsi obtenir des informations très intéressantes sur les sujets sans avoir recours à la forme habituelle de communication.

Cette méthode pourrait se révéler utile particulièrement pour les patients souffrant de problèmes psychiques qu'ils sont incapables d'exprimer. En confrontant le patient deux fois aux mêmes images et en analysant ses réactions, on pourrait peut-être déterminer l'existence de conflits dont il n'a pas conscience.

L'expérience de Stanford pourrait aussi servir d'auxiliaire dans le traitement des drogués.

Mais il est à craindre que cette forme d'ingérence dans l'univers privé des gens n'ait pas que des applications bénéfiques. « Je crains vraiment qu'on abuse de cette méthode et qu'on essaie de savoir ce que les gens pensent réellement, dit le Dr Lunde. Pour l'instant heureusement, il est indispensable que les sujets collaborent. Si le sujet refuse de s'y prêter, l'expérience ne réussit pas. »

Nous sommes d'avis que l'expérience aurait été plus concluante si on n'avait pas dit aux sujets ce qui les attendait et si on ne leur avait pas demandé d'avance de faire part de leurs préférences en matière de sexualité. Dans les circonstances, les sujets ont pu tronquer inconsciemment les résultats. Cela aurait été plus improbable s'ils n'avaient pas été informés au préalable du contenu de l'expérience.

CHAPITRE V

La télépathie : l'arme de demain

La future langue de l'espace

La parapsychologie moderne a indiqué au monde les immenses ressources de l'esprit humain. Les grandes puissances — États-Unis, U.R.S.S. et Chine populaire — consacrent aujourd'hui d'énormes moyens financiers à l'exploration des phénomènes psychiques et à la recherche de modes d'utilisation des ondes cérébrales.

C'est apparemment en Union soviétique que la recherche est le plus avancé en matière de télépathie, de téléhypnose et de télékinésie, c'est-à-dire la transmission de pensée, l'hypnose à distance et le déplacement d'objets à distance. On ne dispose pas de renseignements sûrs en ce qui concerne l'état des recherches en Chine populaire.

Les nombreux phénomènes auditifs constatés partout à travers le monde reposent partiellement sur des interceptions d'ondes mentales. Les voix de défunts enregistrées sur bande magnétique y font exception (nous y reviendrons plus tard).

Comme la télépathie n'est pas limitée par l'espace, le temps ni la matière, elle n'est pas seulement indiquée pour la communication avec les astronautes mais aussi avec d'hypothétiques habitants d'autres planètes. D'autant que la télépathie ne connaît pas non plus de frontières linguistiques. Toutes les nations, nous assure-t-on, pourront un jour franchir les barrières des langues et communiquer par la seule transmission de pensées, d'idées et de concepts.

La pensée se déplace à une vitesse supérieure à celle de la lumière de sorte que la télépathie a toutes les chances de devenir la langue spatiale de l'avenir. Ce n'est sûrement pas l'effet du hasard si l'exploration de l'espace extérieur, du cosmos, a progressé parallèlement à celle de l'espace intérieur des forces mentales et psychiques de l'homme.

Émetteurs et récepteurs de pensée

Le secret de la transmission de pensée réside dans la domestication des ondes alpha émises par le cerveau. Si on réussit à brancher le cerveau sur les ondes alpha, nous assurent certains chercheurs, on peut recevoir des informations de toutes les parties du monde. Il suffit d'ajuster le canal de réception du cerveau sur un certain émetteur, comme on syntonise un poste de radio ou de télévision. Il est avéré que tout cerveau émet et reçoit des ondes alpha.

On pense pouvoir éventuellement mettre au point des appareils qui puissent être programmés de manière à transmettre ou à recevoir des pensées.

L'Américain David Bubar dit que ces appareils existent déjà à l'état frustre aux États-Unis et dans quelques pays européens et qu'on ne tardera pas à les perfectionner. De même que l'on peut transformer le langage et les images en ondes, il est concevable que l'on puisse répéter le processus inverse pour les ondes mentales.

À l'instar de la presse, de la radio et de la télévision, la télépathie pourrait un jour jouer un rôle important dans la direction et la domination des masses. Imaginons simplement l'effet de gigantesques émetteurs de pensée qui répandraient certains concepts parmi des populations, des pays, voire des continents tout entier.

En matière de criminologie également, la transmission de pensée pourrait jouer un rôle fort utile. Il n'est pas du tout utopique de penser qu'il existera un jour un département de la «police mentale».

C'est encore une fois en Union soviétique que l'on a marqué les progrès les plus spectaculaires dans ce domaine. On a notamment confirmé pour la première fois l'existence de la télépathie chez les animaux. En Californie, en Bulgarie et en Union soviétique, on a étudié l'influence des impulsions mentales humaines sur les plantes et on en est arrivé à des résultats étonnants. Nous reviendrons là-dessus un peu plus loin.

L'espionnage et la télépathie

La télépathie, c'est-à-dire «la transmission de contenus psychiques de sujet à sujet sans médiation sensorielle perceptible», est, comme nous l'avons vu, à la portée de tout le monde et relativement facile à apprendre.

Le chercheur américain David Hoy définit la télépathie comme «un échange direct d'idées d'esprit à esprit». La transmission s'effectue d'individu à individu sans auxiliaire extérieur, sans avoir recours à la parole ou à aucun des sens classiques.

Il s'agit donc d'un processus tout à fait naturel pour lequel tout homme possède des dispositions innées.

Les recherches récentes ont démontré que la conscience humaine peut être paralysée ou influencée dans un sens précis. La lecture de pensée permet le contrôle mental absolu, c'est-à-dire qu'elle permet de découvrir les intentions d'un individu avant qu'ils ne les mettent à exécution. On peut mesurer l'importance du phénomène non seulement dans l'économie de concurrence et la politique en général, mais aussi en matière d'espionnage.

On peut d'autre part entraver le fonctionnement de la télépathie par des émetteurs parasites. On peut, par exemple, intercepter les ondes et les déformer. Dans l'avenir, on établira sans doute des stations de brouillage technique. Les hommes politiques, les militaires et l'homme de la rue auront à se protéger contre ces intrusions télépathiques brimant leur liberté de pensée. Les architectes de l'avenir devront-ils construire des maisons à l'abri de la télépathie?

À partir d'expériences qui visent à amplifier les ondes mentales à la manière des ondes radio, certains technologues et parapsychologues des pays de l'Est s'efforcent de mettre au point des stations d'émission de pensée.

Les Soviétiques furent les premiers à s'intéresser activement à la mise au point d'un intercepteur télépathique capable de capter des messages destinés à un tiers, de s'infiltrer dans la communication et d'agir d'une certaine façon comme brouilleur d'ondes.

L'état actuel des recherches permet d'affirmer qu'il est effectivement possible de transmettre techniquement des ondes mentales et de les amplifier. Le but ultime de cette procédure est évidemment de contrôler la pensée. On peut prévoir qu'il sera un jour possible de pressentir les intentions des hommes d'État et des chefs militaires et de leur faire échec.

Il n'y aurait alors plus de secrets. On peut d'ores et déjà mesurer les implications énormes d'un tel phénomène dans tous les domaines de l'économie et de la politique. On a souvent dit que la domination du monde reviendra à la super-puissance qui saura la première mettre en valeur les immenses ressources de la télépathie.

La valeur de la télépathie en matière d'intelligence et de stratégie militaires est évidente. L'histoire nous en donne un exemple dans la personne légendaire de Wolf Gregorevich Messing, le seul médium qui ait joui de la confiance et de la protection de Staline. Après avoir réussi une épreuve que Staline lui avait imposée, Messing put voyager à son aise à travers toute l'Union soviétique. Le test consistait à pénétrer dans la Datcha de Staline à Kunzewo sans autorisation et sans laissez-passer. C'était aussi invraisemblable que de demander à quelqu'un de pénétrer dans les voûtes de Fort Knox, où sont gardées les réserves d'or des États-Unis.

Messing, né en Pologne et d'origine juive, possédait la faculté exceptionnelle de pouvoir «embrouiller» les cerveaux des autres. Il était connu mondialement et il avait été mis à l'épreuve par Einstein et Gandhi. À Varsovie, il avait prédit publiquement : «Si Hitler se tourne vers l'Est, il mourra». Quand la presse polonaise rapporta sa prédiction, Hitler mit sa tête à prix pour 200.000 Reichsmark. Durant l'occupation de Varsovie, Messing fut repéré dans une cachette, arrêté et amené au quartier de la Gestapo.

Par une force de concentration extraordinaire, il réussit à s'enfuir en poussant tous les membres du personnel de la Gestapo à se réunir dans une pièce éloignée de celle où il était détenu. Il passa de nuit la frontière de l'Union soviétique, mais l'accueil ne fut pas très chaleureux. «Ici, lui dit-on, les diseurs de bonne aventure et les sorciers ne sont pas bienvenus. Nous ne croyons pas à la télépathie.» Staline lui-même le mit au défi de prouver ses talents en pénétrant dans sa Datcha. Il ordonna dans l'intervalle à tous les hommes de la Guépéou d'être sur le qui-vive et d'appréhender Messing à vue. Le fait qui suivit est l'un des plus fascinants dans l'histoire de la télépathie moderne.

Quelques jours plus tard, tandis que Staline travaillait paisiblement dans son bureau, un homme se présenta à la porte de la Datcha. Les gardes du corps de Staline s'écartèrent respectueusement pour le laisser passer. L'homme traversa le corridor, passa devant plusieurs pièces sans tourner la tête et s'arrêta devant la porte ouverte du bureau de Staline. Staline le regarda, interloqué : Wolf Messing était devant lui. Comment avait-il réussi cet exploit?

— J'ai simplement suggéré aux gardes que j'étais Beria, dit Messing.

Lavrenti Beria, le fameux chef des services de sécurité de l'Union soviétique, était un visiteur assidu à la Datcha de Staline. L'homme aux cheveux bouclés ne ressemblait en rien à Beria. Il ne s'était même pas donné la peine de porter le monocle qui était le signe distinctif de Beria[*].

Staline fut à même de juger de l'authenticité des pouvoirs de Messing et estima moins dangereux de le laisser faire ses «tours de magie» que de l'incarcérer avec les résultats douteux que l'on sait.

Il est évident que toutes les techniques de la télépathie, y compris la suggestion à laquelle Messing eut recours à cette occasion, peuvent être un atout précieux pour des partisans luttant dans le maquis.

Les Tchèques soulignaient dès 1925 l'importance militaire des facultés paranormales dans un manuel intitulé *Clairvoyance, hypnose et magnétisme*, publié par le ministère de la Guerre et signé par Karel Hejbalik.

La revue militaire *Periskop* a cité le cas d'unités spéciales qui, dès 1919, pendant la guerre contre la Hongrie, pouvaient déterminer les positions des troupes hongroises et retrouver des disparus grâce à la clairvoyance.

Pendant la première guerre mondiale, les Tchèques eurent recours à des sourciers pour repérer les sources d'eau potable, les cachettes d'armes et les guet-apens. Pendant la deuxième guerre mondiale, les partisans tchèques employèrent l'ESP pour déterminer d'avance les dates des attaques allemandes.

Dans son livre *Nicht nur die schwarzen Uniformen*, Miroslav Ivanov raconte l'usage qu'on fit des médiums tchèques dans les services de renseignements. Par leur intermédiaire, on obtint des renseignements sur l'occupant, la vie dans les camps de concentration, les mouvements des partisans et les émigrants.

---

[*] in : *Psi*, Ostrander/Schröder, Éditions Scherz, Berne, 1972.

Certains pays d'Europe de l'Est ont intégré à leur armée un corps de clairvoyants qui est chargé de déterminer le siège de l'état-major, les mouvements de troupes, les positions d'artillerie et les armes secrètes de l'ennemi.

Dans la brousse africaine, les chefs de guérilleros ont souvent recours à la télépathie. Ils allient à la tactique militaire moderne les pouvoirs traditionnels qui leur ont été transmis par les sorciers et les guérisseurs. La transmission télépathique a cet avantage sur la transmission radiophonique qu'elle ne peut pas être interrompue ou captée facilement de l'extérieur. Les unités anti-guérilla devraient se servir d'un intercepteur qui n'est pas encore au point pour pouvoir contrer cette arme.

L'influence des ondes mentales sur les animaux

La science est perplexe devant les facultés mentales de certains animaux, notamment le chien. Des chercheurs français et hongrois ont récemment établi que le chien est nanti d'un museau qui lui permet de distinguer près d'un demi-million d'odeurs, dont celle du courant électrique. Dans le cerveau du chien, la surface réservée à l'odorat est de 2,25 m² tandis que chez l'homme, elle est de la dimension d'une boîte d'allumettes.

Des expériences faites avec le chien berger soviétique «Mars» ont démontré qu'un chien peut apprendre à obéir à des ordres qui lui sont transmis par télépathie. Les chiens et quelques autres animaux sont généralement en mesure de compter jusqu'à neuf.

«Chris», le chien de M. et Mme Wood de Warwick (U.S.A.), savait compter et calculer dès l'âge de deux ans. Plus tard, il apprit même à extraire les racines carrées et cubiques. Il donnait les réponses en tapant sur le bras de son maître. Examiné par le célèbre parapsychologue américain Rhine, il résolut en quelques minutes un problème qui fut proposé en même temps à un ordinateur. Les deux ingénieurs invités à vérifier les résultats — opération qu'ils mirent dix minutes à effectuer — reconnurent que le problème avait été résolu sans faute.

La bête possédait indubitablement le don de la clairvoyance. Elle en donna la preuve en 1959 en annonçant à coups de patte la date exacte de sa mort, soit le 10 juin 1962.

Le chien est généralement capable de percer les secrets de l'homme et de lire ses pensées. C'est ainsi que s'explique le phénomène des «tuyaux de bourse» que le chien berger «William Arethya» donnait à son maître, le courtier Bob Beckman de Londres, qui réalisa grâce à lui des gains de plus de 20 000 livres sterling.

En captant les ondes qui provenaient de l'inconscient de son maître, le chien pouvait déterminer si ses spéculations étaient justes ou non. Lorsque son sixième sens lui disait que les spéculations étaient justes, il en prévenait son maître en bougeant la queue!

Avec un chien particulièrement doué, il devrait être possible de capter les ondes mentales d'autres êtres humains ou de les infléchir.

La Marine soviétique a soumis une lapine et ses rejetons à des épreuves télépathiques. Les lapereaux furent amenés à bord d'un sous-marin tandis qu'on appliquait des électrodes au cerveau de la mère en laboratoire. Une fois le bateau en eaux profondes, on tua l'un après l'autre les jeunes lapins. Le cerveau de la mère réagit clairement à la mort de chacun de ses rejetons.

Le berger russe «Mars», vedette de la police soviétique, exécuta l'ordre qui lui avait été transmis par télépathie de choisir parmi trois livres sur la table le bottin téléphonique et de l'apporter à son maître. Lors d'une expérience menée par le neurologue Bechterev en collaboration avec le dresseur du cirque Durov, on constata que le terrier «Pikki» pouvait exécuter des ordres télépathiques assez compliqués.

Comme les télépathes humains, les animaux captent parfois des pensées à la frontière de la conscience de «l'émetteur télépathique». Les essais soviétiques ont démontré que les animaux utilisés comme médiums préféraient, tout comme les médiums humains, des problèmes à contenu émotionnel.

La suggestion mentale pourrait donc remplacer les anciennes méthodes de dressage des animaux.

L'influence de la télépathie sur les plantes

Le Centre de recherche sur l'homme intégral de Sofia, en Bulgarie, a découvert que les plantes soumises à des courants mentaux humains croissaient trois fois plus que les autres. Des expériences menées par des scientifiques américains ont abouti au même résultat.

En Chine, on espère trouver par cette voie une solution au problème de l'alimentation végétale.

Le pasteur et botaniste américain F. Loehr en est venu à la conclusion que les plantes sont conscientes de leur entourage humain et réagissent à ses humeurs et à ses sentiments. Après des années de recherche en équipe, le Dr Loehr a émis l'hypothèse que les plantes croissent plus vite et mieux si on leur prodigue des pensées aimables, on leur adresse des prières et on les bénit. Si l'entourage humain est négatif, manque d'intérêt et s'emporte, la croissance diminue et les plantes meurent prématurément.

Loehr a donc développé une sorte de thérapeutique pour les plantes malades ou paresseuses.

L'équipe travaillant sous sa direction a recueilli plus de 10 000 observations concernant l'influence de l'entourage humain sur le monde végétal.

Le médecin français J. Barry a amené un de ses patients à contrôler lui-même par la suggestion la propagation de microbes pathogènes dans son organisme tandis qu'il s'efforçait de son côté de la limiter par les méthodes biologiques habituelles. Il a constaté que la méthode suggestive était plus efficace que le traitement biologique.

De toutes les expériences de laboratoire, les plus révélatrices ont été celles du professeur Bernard Grad, de Montréal, qui étaient sévèrement contrôlées. Leur but était de mesurer l'influence de la psychokinésie sur la germination des plantes et sur la guérison des blessures. Dans le premier cas, le professeur Grad a arrosé des semences d'orge d'eau bénie par un guérisseur. Il a constaté que les plantes de ce semis se développaient davantage que celles du groupe de contrôle arrosées à l'eau ordinaire. Dans le second cas, le professeur Grad a infligé des blessures sommaires à deux groupes de souris et il a confié l'un des deux groupes aux soins d'un guérisseur. Il a constaté que les souris traitées par le guérisseur se rétablissaient plus vite que celles du groupe de contrôle.

L'éminent scientifique Marcel Vogel, de la Californie, est d'avis que les expériences visant à déterminer le degré de réaction des plantes peuvent ouvrir de nouveaux horizons dans le domaine de la télépathie. Ce chimiste de 55 ans qui est au service de la société I.B.M. à Los Gatos a découvert que certaines plantes sont plus sensibles que d'autres aux ondes mentales de l'homme et que leur réaction peut être mesurée électroniquement.

« Lorsque nous pensons, dit le Dr Vogel, le champ énergétique de nos ondes mentales se diffuse dans l'espace. Je ne saurais dire quelle est la nature de l'énergie qui est alors développée, mais cela ne nous empêche pas de l'utiliser. Le cerveau humain émet des impulsions électriques dont nous ne connaissons encore ni les caractéristiques, ni la configuration, ni la forme, ni la fréquence. »

Le Dr Vogel a mis au point un appareil capable d'enregistrer et de transmettre des ondes mentales. Il s'est servi d'un polygraphe, en l'occurrence l'appareil Wheatstone Bridge qui sert à mesurer des impulsions électriques pour déterminer la réaction des plantes aux pensées humaines. Il a constaté que la simple intention produit sur la plante le même effet que l'action : l'appareil enregistra la même amplitude d'oscillation quand le chercheur tira la feuille sur laquelle étaient fixées les pinces que quand il forma le dessein de tirer.

Au cours d'une autre expérience, le Dr Vogel réussit à transmettre à la plante les pensées d'un ami habitant à 30 kilomètres de Los Gatos, à Palo Alto. L'appareil enregistra la même réaction que si le chercheur avait lui-même tiré ou pensé tirer la feuille.

Les pensées bienveillantes ont un effet vivifiant sur la plante tandis que les pensées hostiles peuvent la pousser à se laisser aller. Comme les distances ne comptent pas en télépathie, l'expérience décrite plus haut ne nous surprend pas outre mesure.

Marcel Vogel ne croit cependant pas que le comportement de la plante est l'expression d'une intelligence primitive. Selon lui, la plante ne fait que refléter l'intelligence humaine.

Le professeur Isidor Gunar, de l'Institut d'agronomie de Moscou, a établi hors de tout doute qu'il existe chez les plantes un système nerveux primitif qui fonctionne de façon similaire à celui des animaux inférieurs. La capacité des plantes de distinguer entre le jour et la nuit en serait déjà une première preuve.

Le professeur Gunar estime qu'il ne faut pas prendre à la légère la prétention des amateurs d'horticulture de pouvoir accélérer la croissance ou augmenter la production des plantes par la suggestion.

Le Dr Veniamin Pouchkine, psychologue de Leningrad, dit qu'il est sans doute possible d'établir une forme de communication avec les plantes. Les expériences qu'il a faites, au moyen d'un appareil dont il se garde bien pour l'instant de décrire le fonctionnement, ont donné des résultats positifs.

L'appareil servait à relier un sujet humain à un géranium. La fleur reflétait exactement l'état d'âme suggéré au sujet en état d'hypnose. Si les plantes réagissent ainsi aux impulsions du système nerveux de l'homme, c'est qu'il existe une certaine similarité entre le fonctionnement des cellules végétales et celui des cellules nerveuses humaines, selon le professeur Pouchkine.

Ce n'est qu'à partir des recherches futures sur les réactions des cellules végétales exposées aux sentiments humains que nous pourrons établir la nature des rapports entre le cerveau humain et les cellules végétales.

Au cours des expériences menées à Leningrad, l'hypnotiseur suggéra d'abord au sujet qu'il était heureux et provoqua chez lui tous les signes extérieurs du bonheur. Il lui suggéra ensuite qu'il était triste et le sujet se mit à pleurer. Près du sujet, le géranium refléta clairement les deux états d'âme. Ses «pleurs» se traduisirent par des oscillations négatives de l'appareil de mesure.

Les phénomènes paraphysiques

Le terme perception extra-sensorielle (ESP), qui embrasse la télépathie et la clairvoyance, désigne la transmission de signaux d'information par une forme d'énergie inconnue. Autant qu'on sache, les signaux sont véhiculés par une force centripète, c'est-à-dire qui tend vers le centre ou vers le percipient. Puisqu'il n'existe pas de telle asymétrie dans la nature, il y a tout lieu de supposer que des signaux énergétiques semblables peuvent être émis en sens inverse, c'est-à-dire du centre vers l'extérieur. Il devrait donc y avoir des cas où l'homme est capable d'influencer son entourage par des moyens parapsychiques.

« Les recherches indiquent déjà que le facteur responsable des phénomènes parapsychiques fait sentir ses effets dans les deux sens, écrit le Dr Milan Rýzl, l'un des parapsychologues les plus éminents au monde*. Nous avons relevé deux types distincts de télépathie :

« La télépathie proprement dite, déterminée par l'action du percipient, et la suggestion où l'agent joue le rôle principal. Partant de cette observation, les parapsychologues distinguent deux mécanismes télépathiques différents :

— la télépathie gamma, avec action dominante du percipient, et

— la télépathie kappa, avec action dominante de l'agent.

« On doit donc considérer la télépathie gamma comme une forme d'ESP tandis que la télépathie kappa, bien que voisine de l'ESP, s'apparente plutôt aux phénomènes paraphysiques. »

Le professeur J.B. Rhine et ses collaborateurs de l'université Duke, en Caroline du Nord, ont beaucoup fait pour démontrer l'authenticité des phénomènes paraphysiques. Ils se sont appuyés principalement sur des preuves statistiques.

« Le concept nouveau de la psychokinésie (l'action PK) désigne cette faculté qui permet d'engendrer des effets mécaniques par la force psychique », écrit encore le Dr Rýzl.

De même qu'on s'était servi de jeux de cartes pour examiner le fonctionnement de l'ESP, on utilisa cette fois des dés pour dresser la preuve statistique des effets mécaniques.

---

* dans *Parapsychologie — Tatsachen und Ausbliche*, Éditions Ramon F. Keller, Genève, 3e édition, 1973.

Les preuves consistaient à tenter d'influencer la chute des dés de manière à obtenir un nombre de points fixé d'avance. On pouvait jeter un seul ou plusieurs dés à la fois. Lorsqu'on utilisait plusieurs dés, il fallait obtenir une combinaison déterminée.

Les résultats des séries d'expériences furent par la suite analysés statistiquement. Chaque série était constituée par 24 dés. Pour que les expériences soient rigoureusement scientifiques, il fallait éliminer toutes possibilités d'influence normale pouvant donner l'impression d'un effet PK : courants d'air, inexactitude du centre de gravité, malformation des dés, etc. Ainsi, si un dé n'est pas fabriqué avec précision, il peut arriver qu'il retombe plus souvent sur la même face. On a paré à cette possibilité au cours de l'expérience en alternant régulièrement les faces cibles.

Après la publication des premiers comptes rendus des expériences de psychokinésie au laboratoire parapsychologique de l'université Duke en 1943, d'autres parapsychologues ont procédé à des travaux concluants hors des U.S.A., notamment R.H. Thouless en Angleterre, et H. Forwald en Suède.

Les facteurs favorables à l'action ESP le sont aussi en général à l'action PK : condition expérimentale agréable, motivation suffisante (par exemple, une situation de compétition), relaxation, suggestion positive sous hypnose, etc.

Fort du résultat de ces expériences et de quantité d'autres données qu'il recueillit et contrevérifia lui-même, le Dr Rýzl, chercheur aussi prudent que consciencieux, conclut à l'instar de plusieurs autres parapsychologues que la psychokinésie — ou la télékinésie, comme le précurseur de la parapsychologie moderne, le professeur Hans Driesch, appelait l'action PK — est bien réelle.

La psychokinésie, tout comme la perception extrasensorielle, est toujours l'objet de recherches intensives dans les laboratoires de parapsychologie moderne.

Le Dr Carl G. Jung, l'un des pionniers de la psychologie et de la psychiatrie modernes avec Freud et Adler, possédait, pense-t-on, le don de la télékinésie qu'il avait hérité de ses parents et dont il se servait à l'occasion. L'Israélien Uri Geller est aujourd'hui considéré comme le plus grand prodige de la télépathie et de la télékinésie.

Si Uri Geller peut, comme il le prétend, plier ou casser des pièces de métal, déplacer des objets d'une pièce à une autre ou les faire disparaître et réapparaître à volonté, son pouvoir peut être la source d'immenses bienfaits autant que de grands périls... surtout qu'il arrive à extraire des objets de contenants bien fermés !

Il est évident que la télékinésie se prête à d'innombrables usages et peut constituer une arme terrible aussi bien en temps de paix qu'en temps de guerre.

La téléhypnose

La téléhypnose ou l'hypnose à distance, qui est un phénomène télépathique en même temps qu'hypnotique, ouvre des perspectives d'application radicalement nouvelles.

Grâce à la téléhypnose par exemple, l'insomniaque pourrait se laisser entraîner dans une douce somnolence ou un profond sommeil quelle que soit la distance qui le sépare de l'hypnotiseur.

« Aucun autre phénomène ne fait actuellement l'objet de recherches plus sérieuses que la téléhypnose, écrit P. Norbert Backmund. Ses conséquences, non seulement dans une perspective politique mais dans bien d'autres domaines, dépassent l'imagination. Qu'on se représente cette faculté entre les mains de criminels ! Il faut se rappeler que les personnes en état d'hypnose peuvent parler normalement et donner des renseignements. » Le professeur Platonov est arrivé, indépendamment de Backmund, aux mêmes conclusions*.

Un pont qui enjambe l'univers

Le clairvoyant américain Edgar Cayce**, décédé en 1945, a prédit que durant l'ère du verseau l'homme arrivera à développer à la perfection ses facultés de communication télépathique. «La radio mentale, dit-il, permettra le contact de psyché à psyché dans tout l'univers.»

Certains chercheurs sont d'avis que les équipages d'OVNI émettent et captent des messages télépathiques. Quoi qu'on puisse penser de la question des OVNI, la «radio mentale» s'alimentant d'ondes télépathiques jusque dans le cosmos est une possibilité bien réelle.

Si on parvient à la maîtriser, la transmission de pensée nous permettra d'augmenter considérablement nos connaissances. Il est tout à fait vraisemblable qu'on établisse alors des instituts pédagogiques télépathiques pour l'étude à distance. Par l'entremise d'un appareil enregistreur d'ondes mentales, le cerveau de l'étudiant pourrait être branché sur un ordinateur ayant en mémoire des domaines bien précis du savoir.

Les savants, les chercheurs et les spécialistes de tous genres auraient certes profit à échanger leurs connaissances par contact mental. Les leaders industriels, économiques, culturels, politiques et militaires pourraient se renseigner et se faire conseiller par télépathie. Bref, le pont télépathique enjambant l'univers ouvrirait des horizons presque infinis.

---

* de nombreux exemples de téléhypnose se trouvent dans : L.M. Lecron, *Fremdhypnose, Selbsthypnose* et A. Ellen, *Ich Hypnotisierte Tausende*, Éditions Ramon F. Keller, Genève, 1973.

** sur le phénomène Edgar Cayce, les Éditions Québec/Amérique ont publié en 1975 le best-seller américain *Edgar Cayce, le prophète*, de Jess Stearn.

CHAPITRE VI

Le connu et l'inconnu

La « toute-puissance » des ondes mentales

La science reconnaît la télépathie et la clairvoyance comme des phénomènes authentiques, confirmés par des expériences contrôlées et par de multiples implications pratiques. Les recherches sur la perception extra-sensorielle ont révélé d'innombrables cas de clairvoyance s'exerçant vers le passé ou l'avenir (rétrocognition et précognition) sous contrôle rigoureux. La psychokinésie a aussi été démontrée expérimentalement hors de tout doute.

Pourtant, la parapsychologie n'en est encore qu'à ses débuts. Nous ne savons pas encore ce que cette science relativement jeune, qui ne fait qu'amorcer la collaboration avec d'autres disciplines comme la physique ou la biologie, finira par nous dévoiler de l'univers intérieur de l'homme et de ses possibilités insoupçonnées, peut-être illimitées. Il est certain que ce seront des faits qui nous paraîtraient aujourd'hui aussi fantastiques que l'était il y a trente ans l'hypothèse d'excursion spatiale sur la lune ou sur Mars

C'est pourquoi nous pensons ne pas devoir nous arrêter aux bornes du savoir déjà acquis. Nous faisons un pas de plus tout en sachant que nous entrons pour ainsi dire dans le « no man's land » scientifique : le domaine fascinant de l'hypothèse. Il se peut qu'on sourit demain des réserves que nous faisons. Peut-être qu'après-demain, le « vol astronautique » à l'intérieur de notre cosmos psychique aura déjà eu lieu et plusieurs des hypothèses que nous avançons timidement aujourd'hui auront été prouvées.

L'énigme de la langue des esprits

Toute conjecture sur l'avenir de la télépathie soulève la question de savoir quel est le langage des ondes qu'entendent également les hommes, les animaux et les plantes. Le célèbre voyant suédois Swedenborg s'est posé cette question il y a plus de 150 ans et il a consigné ses réponses dans des écrits qui acquièrent aujourd'hui une actualité surprenante.

Dans une étude qu'il a publiée sur l'évolution de Swedenborg comme mystique et voyant, Martin Lamm écrit :

« Entre les esprits et les hommes, il existe une forme de communication comparable à la langue chez les humains, mais cette communication est tout intérieure. Elle est aussi mélodieuse que la langue articulée par la bouche bien qu'aucun son ne soit audible. »

En même temps qu'il parle avec les esprits, Swedenborg établit leur position : il les perçoit à différents endroits de son corps, au-dessus de la tête, sur le côté, près du coude ou à l'intérieur du corps. Selon leur position, il sait à quel type ils appartiennent et dans quel état psychique il se trouve. Selon le ton de leur voix, il peut déterminer leur caractère.

Les descriptions détaillées de Swedenborg nous permettent de faire une relation entre la « langue des esprits » et les « voix intérieures » dont parlent les mystiques, ainsi que les « pseudo-hallucinations » verbales identifiées par la psychiatrie moderne.

« Nous pensons à l'aide de mots, dit Séglas. Tout processus mental devient accessible à notre esprit sous sa forme verbale. C'est là ce qu'on appelle la langue intérieure. »

C'est aussi le point de départ de Swedenborg. Nous sommes en général très peu conscients de cette langue intérieure. Il peut arriver cependant qu'elle prenne vie spontanément et qu'elle acquière une forme verbale. Le phénomène peut se manifester si clairement qu'on ne perçoive pas que des mots, mais une tonalité, une mélodie intérieure qui est radicalement différente du son de la voix qui se propose habituellement à l'ouïe.

La communication avec les morts

Le philosophe Emmanuel Kant relate un cas de spiritisme dans son livre, *Rêves d'un voyant (Träume eines Geistersehers)*, paru en 1766 à Koënigsberg. Ce penseur sobre et réaliste, auteur de la *Critique de la raison pure (Kritik der reinen Vernunft)*, jugea l'incident digne de foi.

Le personnage central de l'affaire était madame Marteville, veuve du ministre plénipotentiaire hollandais à Stockholm. Peu après le décès de son mari, madame Marteville avait reçu de l'orfèvre Croon un rappel de paiement pour un service d'argenterie. Selon Croon, le diplomate avait commandé et reçu ce service mais il ne l'avait jamais payé. La veuve retint les services du célèbre voyant suédois Emmanuel Swedenborg pour tirer l'affaire au clair. Kant raconte l'incident comme suit :

«La veuve était persuadée que son mari, qui était un homme d'ordre, avait acquitté cette dette mais elle n'arrivait pas à trouver la quittance. Comme il s'agissait d'un montant considérable, elle fit appel à monsieur Swedenborg. Puisqu'on le disait capable de communiquer avec les morts, elle le pria d'entrer en contact avec son mari et de voir de quoi il retournait à propos de cette affaire.

«Swedenborg n'eut aucun mal à se rendre à sa demande. Trois jours plus tard, alors que madame Marteville recevait ses amis à un thé, Swedenborg se présenta et lui dit qu'il avait parlé à son mari. La dette avait été acquittée sept mois avant sa mort, lui avait dit le défunt, et madame pourrait trouver le reçu dans l'armoire de la chambre qui était à l'étage. La veuve riposta que l'armoire en question avait été vidée et qu'il n'y avait aucun reçu parmi les papiers qui s'y trouvaient.

« Swedenborg insista. Selon les indications du défunt, dit-il, il fallait enlever une planche du côté gauche pour dégager un tiroir secret renfermant la correspondance hollandaise du diplomate et le reçu.

« La veuve se rendit donc dans la chambre en compagnie de ses invités. Elle ouvrit l'armoire, enleva la planche conformément aux instructions, dégagea le tiroir et trouva les papiers à l'étonnement général. »

Les morts, dit-on, ont une connaissance télépathique des joies et des peines des vivants. Dans *Andreas Bobola* (publié en 1855 à Regensbourg), Jérôme raconte que le jésuite Bobola, dont la dépouille mortelle était disparue, apparut deux fois pour donner des indications à ceux qu'on avait chargé de la retrouver.

« Il est possible que la momification des morts facilite les communications avec leur esprit. Les Égyptiens de l'antiquité le savaient probablement, eux qui attachaient beaucoup d'importance à la conservation des corps. On peut supposer la même chose de la part de ceux qui ordonnèrent la construction du mausolée de Lénine sur la Place Rouge de Moscou. (Pakradyny) »

C'est probablement sur la foi de cette hypothèse qu'on a momifié les restes d'Evita Peron, la femme du dictateur argentin. Lorsque Peron est rentré d'exil en 1973, il a ramené avec lui la momie d'Évita que les partisans du dictateur vénéraient comme une sainte. Elle devait inspirer, dit-on, celle qui succéda à Peron, sa femme Isabelle.

Dans son livre, *Das persönliche Ueberleben des Todes* (La vie dans l'au-delà), Émile Mattiessen parle de télépathie entre les morts eux-mêmes :

« Il paraît aller de soi que les morts communiquent entre eux par télépathie. Les facultés paranormales des vivants seraient chez les morts des facultés normales. La langue de l'au-delà serait purement mentale, et on la désigne quelquefois sous le nom de téléphonie sans fil. »

On affirme même que les morts peuvent « voir » pareillement les pensées des morts et des vivants.

« Nous te voyons, dit la défunte madame Owen à son fils vivant, mais avec d'autres yeux que les tiens. Nos yeux ne sont pas habitués à la lumière telle qu'elle existe sur terre. Notre lumière diffère fondamentalement de la vôtre. Ce sont plutôt des radiations qui nous permettent de pénétrer vos pensées les plus secrètes. C'est ainsi que nous communiquons directement avec votre esprit et non pas par l'intermédiaire de vos sens. »

« Comment peux-tu m'entendre parler puisque nous communiquons par la pensée ? demanda madame Mitchell au médium madame Piper.

« C'est grâce à ce pouvoir télépathique que les habitants de l'au-delà peuvent entrer en contact au gré de leur désir. »

De récentes études* sur les voix de l'au-delà ont dégagé les conclusions qui suivent :

« La langue des morts n'est pas faite de paroles mais de pensées, car ces esprits désincarnés ne possèdent aucune mémoire mentale, intérieure.

« Lorsqu'elles s'adressent aux vivants, les pensées des morts se traduisent par des mots dans l'esprit des vivants. La télépathie, langue mentale, est donc le seul moyen de communication directe entre le monde des vivants et celui des morts.

« Les appareils radio ou les magnétophones peuvent capter les ondes mentales des morts. De même qu'elle

---

*   Voix de l'au-delà (Stimmens aus dem Jenseits), J.B. Delacour, Éditions Econ, Dusseldorf, 1973.

permet à nos sens de percevoir les ondes de radio et de télévision, la technique peut servir d'auxiliaire pour la perception des ondes mentales.

« Les chercheurs les plus éminents dans ce domaine sont : Jürgenson (Stockholm), le docteur Raudive (Bad Krozingen) et le pasteur suisse Schmid, membre d'une commission du Vatican sur les phénomènes auditifs.

« Les opinions restent partagées quant à la manière dont les voix des morts peuvent se graver sur la bande magnétique. Le chercheur Richard K. Sheagold n'exclut pas la possibilité que les morts se servent de l'inconscient des expérimentateurs et de ceux qui les évoquent pour se faire entendre. »

C'est un point de vue nouveau et important puisqu'il semble désormais établi que la conscience des expérimentateurs n'a aucune part dans l'enregistrement.

Parmi les phénomènes qu'embrasse l'idée générale de la communication avec les morts, il convient de noter les cas de chefs-d'œuvre littéraires et musicaux écrits sous la dictée spectrale d'artistes défunts, ainsi que la « chirurgie spectrale » où un médecin défunt opère par l'entremise d'un médium le corps astral invisible du patient et supprime le mal. Les Tibétains, qui s'appuient sur des connaissances millénaires, croient que le corps spectral ou astral est le vrai siège de toutes les maladies*.

Une équipe de chercheurs américains sous la direction du Dr Steven H. Prentice a observé pendant deux ans les phénomènes physiques du spiritisme à l'aide de techniques ultramodernes : appareils détecteurs de force vitale, caméras à l'infrarouge, etc.

En même temps qu'on enregistrait des voix sur bande magnétique, une caméra Fujica modifiée actionnée auto-

---

* Burang, *Tibeter über das Abendland* (L'Occident vu par les Tibétains), éditions Igonta, Salzbourg.

matiquement put filmer leurs auteurs. Il semble qu'on puisse distinguer la forme des mystérieux correspondants de l'au-delà sur la pellicule. Si tel est le cas, ce serait la preuve scientifique que les voix proviennent de défunts qui hantent les parages de ceux qui les évoquent et avec lesquels il est possible de communiquer télépathiquement, moyennant un certain entraînement.

Le mystère du troisième œil

L'origine et le siège de la télépathie sont d'aussi grandes énigmes que la plupart des autres phénomènes parapsychologiques et que l'âme humaine elle-même. Il ne fait aujourd'hui plus de doute que les recherches sur la télépathie nous amèneront un jour à résoudre la question de la survivance de l'âme.

On suppose que la télépathie tire son origine de l'âme, ce corps astral ou éthéré. Le fait que tout homme peut, dans certaines conditions, développer ses facultés télépathiques renforce cette hypothèse.

Souvenons-nous de ce que dit David Hoy, parapsychologue américain déjà cité, considéré aux États-Unis comme l'un des grands spécialistes de la télépathie :

«Dans le cours de mes recherches sur le monde paranormal, j'ai acquis la conviction que tous les êtres humains sont en mesure de développer la réceptivité psychique nécessaire à l'émission et à la réception d'impressions télépathiques. Les expériences que j'ai faites me permettent aussi de croire que tous peuvent maîtriser la transmission de pensée. »

Comme nous le disions plus haut, ce sont les ondes alpha émises par le cerveau qui constituent le principal élément de la transmission de pensée. N'importe qui peut émettre et recevoir des ondes alpha. Selon d'éminents chercheurs, le cerveau humain peut, en se brachant sur les ondes alpha, capter des informations provenant de toutes les parties du monde vivant aussi bien que du monde suprasensoriel. Le réglage des canaux émetteurs cérébraux de l'homme peut se comparer à celui d'un poste de radio ou de télévision.

Les grandes puissances consacrent une part importante de leurs recherches en parapsychologie sur la «télépathie technique», dans laquelle des appareils feraient fonction d'agent et de percipient.

Parmi les organes du corps, l'hypophyse semble jouer un rôle capital dans toutes les facultés classées sous le concept général de «facultés extra-sensorielles». Cette glande, dont la signification n'a été redécouverte que récemment en Occident, était considérée dans la culture ancienne des Hindous comme le siège de l'intuition spirituelle ou de ce qu'on appelle vulgairement le troisième œil.

Ce n'est qu'en 1958, que les scientifiques occidentaux sont parvenus à mettre un terme aux conjectures sur la fonction de l'hypophyse. Des chercheurs suédois et américains ont découvert que cette glande produisait la mélatonine à partir de sérotonine. L'hypophyse de l'homme contient de 10 à 40 fois plus de sérotonine que le cerveau d'une vache. C'est l'hypophyse qui permet indirectement de faire le lien entre l'imagination et le pouvoir de concentration. Il est probable qu'elle joue un rôle important dans le développement des facultés de télépathie et de clairvoyance.

Il se peut que la fonction paranormale de l'hypophyse consiste dans la production ou la possibilité de produire des ondes alpha. Cette glande est probablement émettrice et réceptrice d'ondes cérébrales télépathiques, en plus de jouer un rôle capital dans les phénomènes connexes de la clairvoyance et de la télékinésie, qui sont tous deux liés de près à la télépathie.

Puisque le cerveau animal qui est nettement doué pour la télépathie et la clairvoyance contient très peu de sérotonine, il est permis de penser que ces facultés extra-sensorielles n'étaient pas forcément liées à l'activité de l'hypophyse à l'origine. Puisqu'au moins certaines espèces animales sont douées pour la télépathie (ce que la science confirme), il doit y avoir un principe qui se situe au-dessus de l'état purement biologique des êtres vivants et qui caractérise l'homme immortel dans ses différentes dimensions existentielles sans être uniquement limité à lui et aux formes sous lesquelles il apparaît sur terre et dans l'au-delà.

Selon le chercheur Edgar Dacqué, l'hypophyse porte le sceau du paléozoïque tardif, c'est-à-dire de l'ère primaire et de la préhistoire du monde animal, du temps des êtres vivant alternativement sur terre et dans l'eau. On trouve encore aujourd'hui cet organe à l'état rudimentaire chez certains amphibiens et reptiles contemporains. On peut le repérer clairement chez un reptile de la Nouvelle-Zélande, le lézard des ponts.

Le lézard des ponts (rhynchocéphalia), qui n'existe plus qu'à quelques exemplaires, possède une excroissance osseuse dans la région des tempes et un œil pariétal. Les tuatéras (sphenode punctatus) atteignent l'âge de l'homme : 70 ans! Chez les jeunes lézards de cette espèce qui habite la terre depuis deux cents millions d'années, le troisième œil est visible. Il possède une lentille et une rétine et est encore séparé de l'hypophyse. Au cours de l'évolution animale, le troisième œil s'atrophie au profit du cerveau chez la plupart des espèces. Et pourtant, des vestiges du troisième œil persiste chez l'être humain.

Sur la foi de ces recherches, Edgar Dacqué est d'avis qu'à une époque très reculée, le troisième œil était un organe actif chez l'homme. L'homme vivait alors dans un état somnambulesque, une sorte d'état hypnotique qui ne l'empêchait quand même pas de coordonner ses mouvements.

Les hommes du paléolithique tardif pourvus du troisième œil vivaient probablement en liaison télépathique constante. La conscience qu'a l'homme d'aujourd'hui des choses surnaturelles dépend selon toute probabilité des rudiments de troisième œil qu'il possède encore.

Le troisième œil est mentionné dans de nombreux mythes fort anciens. Les cyclopes le portaient sur le front, mais la déesse hindoue Shiva le possède également. Les Égyptiens de l'antiquité le décrivirent dans un manuscrit datant des années 312-311 avant Jésus-Christ sur la foi de traditions orales remontant à la nuit des temps.

Les Tibétains, se fondant aussi sur des traditions millénaires, croient que le troisième œil regarde à l'intérieur de l'homme et peut donc déceler ses intentions et lire ses pensées. Le troisième œil a inspiré bien des cultes anciens. Nous ne mentionnerons ici que le culte d'Odin, dieu nordique de la magie et du savoir. Dacqué croit aussi avoir repéré un troisième œil dans les représentations de certains personnages mythiques chez les Maya.

La pensée meut des objets sans contact

La psychokinésie, ou télékinésie, constitue une forme particulière d'utilisation des ondes mentales. Nous avons parlé de ce phénomène au chapitre précédent.

L'homme d'aujourd'hui commence à explorer à tâtons ce phénomène que les sages des civilisations anciennes connaissaient probablement tous. Aujourd'hui, il nous faut rattraper leurs connaissances à partir de zéro.

Nous avons vu que la science reconnaît le fait que les ondes mentales de l'homme peuvent influencer la matière solide, voire déplacer des objets. L'énergie psychique peut non seulement déplacer des objets, mais aussi les déformer ou les casser.

Les bruits qui n'ont aucune cause physique apparente relèvent aussi de la psychokinésie.

Dans son livre *Die monistiche Seelenlehre, ein Beitrag zur Lösung des Menschenrätsels* (La Théorie spirituelle moniste, une contribution à la solution de l'énigme humaine)*, Du Prel écrit :

« Le somnambule K., de Dresde, pouvait faire dévier l'aiguille du compas une fois de sept degrés, une autre fois de quatre degrés et répéter l'expérience quatre fois sans se servir de ses mains, uniquement par la force de sa volonté et en fixant l'aiguille du regard.

« La somnambule Prudence Bernard, de Paris, réussit au cours d'un spectacle public à Londres à déplacer l'aiguille d'un compas simplement en inclinant la tête. L'aiguille suivait les mouvements de sa tête. John Brewster, fils du physicien bien connu, et deux personnes de l'assistance servaient de vérificateurs. »

Le médium télékinésique le plus connu en Union soviétique actuellement est madame Nelja Mikhailova. Au cours d'une démonstration, elle réussit à arrêter et à remettre en mouvement le balancier d'une horloge murale, à déplacer des verres ou des contenants de plastic pesant jusqu'à une livre et à faire tomber de la table de menus objets tels que des allumettes, des cigarettes, etc. Madame Mikhailova peut aussi déplacer l'aiguille d'un compas, mais il lui faut parfois de deux à quatre heures pour déclencher ses forces paranormales :

« De nouveau, la Mikhailova décrivit des cercles avec ses mains au-dessus de l'objet. Elle tremblait sous l'effort. Elle concentra son regard sur les allumettes qui se mirent à dévaler comme des billes de bois sur un fleuve impétueux. Le cylindre métallique bougeait également. Les allumettes touchèrent le bord de la table et tombèrent une à une par

---

* chez Max Altmann, Leipzig, 1926.

terre. Neumov déposa alors un autre paquet d'allumettes sur la table et un contenant métallique non magnétique dans un grand cube de plexiglas. Le récipient excluait l'influence de courants d'air, de fils ou de fils métalliques. Madame Mikhailova décrivit des cercles avec ses mains quelques centimètres au-dessus de la boîte de plexiglas et les objets se mirent à glisser d'un côté à l'autre. Quelle qu'ait été la forme d'énergie, elle pouvait traverser la matière plastique*. »

Selon les scientifiques russes, les conditions atmosphériques peuvent influencer le pouvoir télékinésique de Nelja Mikhailova. Si le temps est à la tempête, ses facultés psychokinésiques diminuent.

À propos du mécanisme de la télékinésie, on peut lire dans un ouvrage du chercheur soviétique Genadji Sergeiev que les plasmas du corps humain, tels qu'ils ont été fixés sur l'image pour la première fois par la photographie de Kirlian, produisent un champ d'énergie biomagnétique autour du corps. Ce champ énergétique peut être mesuré avec le détecteur de Sergeiev.

La psyché et les émotions exercent une influence très forte sur le bioplasma et sur son champ énergétique. Moyennant certaines conditions, le Dr Sergeiev peut créer des effets psychokinésiques en se servant du bioplasma.

Les pyramides, Stonehenge, les terrasses de Baalbek, les jardins suspendus de Babylone et les gigantesques monuments de l'île Nan Madol en Micronésie sont-ils l'œuvre de grands maîtres de la télékinésie?

Il semble encore aujourd'hui absurde de poser une telle question. Et pourtant, les vieilles légendes qui prétendent expliquer ces monuments permettent de tirer cette conclusion. Car même les machines modernes ne pourraient pas déplacer ces immenses blocs de pierre!

---

* dans *PSI*, Ostrander/Schröder, éditions Scherz, Munich.

L'énigme des constructions colossales des Incas n'est pas plus facile à déchiffrer que celle des pyramides. Edgar Dacqué dit que les phénomènes de télépathie et de télékinésie qu'on observe aujourd'hui ne sont qu'un «pâle reflet» de ces facultés. La télékinésie suppose la négation momentanée des lois de la gravité par l'influence psychique ou bioplasmique. Selon la légende, la grande pyramide de Gizeh est l'œuvre d'un prêtre. Il aurait glissé des papyrus sous les pierres, les aurait frappées avec une baguette et elles se seraient mises en place d'elles-mêmes.

Les colonnes de basalte de Nan Madol sont sensées avoir volé de Ponape, l'île voisine. Ce sont des blocs de plusieurs milliers de tonnes que personne n'arrive plus aujourd'hui à bouger. Les colonnes sont-elles l'œuvre d'un magicien et ont-elles été mises en place par télékinésie? Un segment de la terrasse de Baalbek, posé à sept mètres au-dessus du sol, pèse 2 000 kilos. La télékinésie a pu là aussi jouer un rôle.

Selon la légende, les monuments de Stonehenge dans la plaine de Salisbury en Angleterre ont été transportés par voie des airs depuis le pays de Gales et mis en place par le plus célèbre des magiciens anglais, Merlin. Il n'est pas impossible que ces légendes, comme tant de sagas, de mythes et de contes folkloriques, possèdent quelques fondements. Nous n'en savons encore rien, mais la parapsychologie nous livrera peut-être avant longtemps la clé de ces énigmes.

La télépathie sidérale

«Les pensées des hommes me parviennent comme des images», dit un jour Wolf Messing, l'un des médiums les plus célèbres du vingtième siècle.

La transmission de pensée paraît donc pouvoir s'effectuer de plusieurs manières. Elle peut prendre une forme auditive (audition de pensée), écrite (lecture de pensée) ou visuelle. De la télépathie visuelle à la projection de pensée pratiquée par le médium américain Ted Serios, psychophotographe, il n'y a qu'un pas. Serios a démontré qu'il peut transférer ses pensées sur une pellicule et en faire ainsi des images concrètes.

On appelle aussi le procédé « photographie mentale » et la science qui en traite «paramécanique». Ted Serios peut aussi reproduire sur film les pensées secrètes d'autres personnes. Il arrive même à photographier mentalement des armes ou des avions qui sont du domaine secret. Ainsi, Serios a reproduit l'image d'un vaisseau spatial soviétique et le modèle inconnu d'un bus.

Le procédé de la photographie mentale est relié de près au phénomène de l'idéoplastique, connu depuis longtemps. Au cours de séances spirites, on a vu des substances étranges émanées du corps du médium, du nez, de la bouche, de la peau ou du bas-ventre. Ces substances, qui sont de nature vaporeuse, furent d'abord appelées «od», puis «téléplasme» ou «ectoplasme». Elles sont aujourd'hui désignées sous le terme de «bioplasme».

En 1914, dans un ouvrage intitulé *Matérialisationsphänomene* (Phénomène de matérialisation), Schrenck-Notzing décrivait de manière saisissante la formation des idéoplastiques :

«A Reval, j'eus l'occasion d'observer la formation d'un téléplasme au cours d'une séance spirite. Par l'intermédiaire du professeur Blacher de Riga, j'avais invité à Reval madame L.W., médium.

«Après avoir été hypnotisée par le colonel Luik, elle se joignit à nous qui formions une chaîne avec nos mains. Elle se plaça à ma gauche. Au bout d'un moment, elle demanda de l'eau pour s'humecter les mains. Elle se frotta les mains, puis les détacha. Je vis alors qu'un cordon les reliait qui devait émaner directement de la peau. On me permit de le toucher, de le tirer, de manière que je puisse constater qu'il ne s'agissait d'aucune matière artificielle connue. Le cordon était comme enraciné dans la peau et tendu comme la corde d'un instrument de musique.

«Il ne se formait pas de boucle si elle rapprochait les mains. Le cordon devenait simplement plus gros et plus court. Il était de consistance gluante et mes doigts y restaient légèrement collés. »

Lors d'une autre séance à Riga, le médium pétrit la substance ectoplasmique émanant de ses mains et en confectionna un cierge de 35 cm de longueur. Schrenck-Notzing conserva un bout de cette chandelle pendant des années sans qu'elle se dématérialise.

Lorsque l'un des assistants coupa un bout du cordon de plasma, le médium en éprouva des douleurs. On n'en put analyser tous les composants chimiques en laboratoire. Si on recouvrait le médium d'un voile, la matière téléplasmique le traversait. «Ces substances froides, vaporeuses et collantes forment dans bien des cas un matériau capable de refléter des images qui représentent souvent des organes humains, des mains, des têtes ou des silhouettes entières. On peut donc projeter des images sur ces substances vaporeuses par la concentration mentale, et c'est pourquoi on les désigne sous le nom d'idéoplastiques. Les pincements ou les coups de couteau pratiqués dans cette matière provoquent des douleurs et affectent la santé du médium. »

Au Tibet, les parapsychologues ont observé des phénomènes de projection mentale revêtant des formes humaines. Ces créatures, que les Tibétains appellent *tulpas*, manifestent même un certain degré d'indépendance et un comportement qui déborde les connaissances et la volonté de leur créateur.

Alexandra David-Neel, qui vécut longtemps chez les Lamas au Tibet, fait part d'une rencontre plutôt terrifiante avec l'une de ces créatures dans son livre *With Mystics and Magicians in Tibet*. Elle dit qu'en observant strictement les rites prescrits, elle avait réussi à donner vie à un *tulpa* sous les traits d'un moine tibétain rondelet, conformément à sa volonté.

La créature vivait dans sa maison et l'accompagnait en voyage, passant pour un véritable moine. Au début, il semble qu'elle n'était visible que lorsque Alexandra David-Neel le voulait.

Plus tard, la créature se mit à se déterminer, apparaissant et disparaissant au gré de sa fantaisie. Avec le temps, elle acquit des traits de caractère indésirables et échappa complètement à l'emprise de son créateur qui dut se résoudre à la faire disparaître au prix de six mois d'exercices rigoureux.

Dans le même ouvrage, Alexandra David-Neel note ce qui suit à propos des idéoplastiques du Tibet :

« Un cheval galope sur la route et hennit. Un chevalier fantôme en descend, parle avec d'autres voyageurs sur le chemin et se comporte en tous points comme un être humain réel. Des êtres réels peuvent loger dans un immeuble fantôme. »

Le cavalier et l'immeuble fantômes sont des idéoplastiques créés par la force mentale. En Occident, il existe aussi des exemples connus de matérialisation. Des objets aussi bien que des formes humaines peuvent émaner du corps d'un médium.

La Bible relate quelques prodiges de ce genre. On les a toujours considérés comme des miracles et c'en sont en effet. Il en est ainsi de Jésus donnant à manger à des milliers de personnes sur la montagne avec quelques miches de pain : il s'agit ou bien de matérialisation ou bien de création idéoplastique de pain. Même chose pour le vin de la noce de Cana. Le célèbre curé d'Ars a d'ailleurs réalisé un prodige comparable avec du vin.

Il doit y avoir une réserve inépuisable d'objets susceptibles de matérialisation. Toutes les connaissances et les expériences accumulées par l'humanité durant des millions d'années d'existence sont peut-être accessibles par voie télépathique. Les livres qui paraissent sortir de nulle part et puiser à une source mystérieuse toutes sortes d'énigmes et de secrets proviennent probablement de ce réservoir de connaissances et d'expériences cosmiques et ont été canalisés dans un cerveau particulièrement désigné à cette fin.

L'homme du XXe siècle devrait donc apprendre à redécouvrir les trésors d'une chaîne infinie de générations antérieures. Selon une hypothèse récente, formulée par Frederik Van Eeden, la conscience et l'information ne sont pas forcément liées à la matière. La « chronique Akasha » de la religion hindoue évoque aussi ce concept d'un réservoir de connaissances cosmiques. Elle prétend renfermer toutes les connaissances et tous les événements de l'histoire universelle et n'être accessible qu'aux initiés.

La radio mentale dans le monde de demain

En parapsychologie, on établit un lien entre le troisième œil et les facultés de voyance. Sur la foi de ses recherches en « clairvoyance historique », Ben Lindekens écrit dans la revue *Bres* (juin/juillet 1973) :

« En Lémurie, reliquat du Gonawaland, vivaient les Rmoahah, contemporains des dinosaures. Leur peau avait la couleur du palissandre et ils atteignaient la taille appréciable de 3,50 m. Lorsque la Lémurie fut submergée, ils se réfugièrent dans l'Atlantide. Hélène Blavatsky a appelé les habitants de l'Atlantide « les grands dragons ».

« Après les Rmoahah, les Tolkètes apparurent en Atlantide. Ils venaient de Floride et mesuraient 2,50 m. Ils possédaient des observatoires astronomiques sur le toit de leurs habitations. Leurs avions étaient propulsés par le fluide personnel des pilotes. Au temps de leur apogée, ils pratiquaient la magie blanche. Durant leur période de décadence qui coïncidait avec l'atrophie du troisième œil, ils se tournèrent vers la magie noire.

« La télépathie historique indique que les Tolkètes de l'Atlantide ont construit les premières pyramides au bord du Nil il y a deux cent mille ans et les constructions circulaires de Stonehenge. En Égypte, leurs connaissances astrologiques furent transmises de génération en génération par la caste des prêtres. La civilisation des Tolkètes disparut avec la destruction de l'Atlantide. L'Atlantide a-t-elle été engloutie par un cataclysme ? Je crois que sa disparition est liée à une cause biologique : le déclin des forces psychiques entraîné par l'atrophie du troisième œil... »

Le lézard tuatéra qui est pourvu d'un troisième œil vit là où on suppose les restes du Gowanaland englouti...

Certains chercheurs contemporains inclinent à penser qu'il existe un rapport entre l'évolution du genre humain et celle de la salamandre géante découverte en 1726 par J.J. Scheuchzer. L'homme serait-il le descendant de lézards qui apprirent au cours de l'évolution à marcher debout ? La salamandre de Scheuchzer est exposée au musée Teylers de Haarlem sous la domination latine de *Homo diluvii testis et theoscopos* (aujourd'hui : Andrias Scheuchzeri). On estime qu'elle date de douze à vingt-cinq millions d'années.

Grâce à Semyon Davidovitch et à Valentina Kirlian, chercheurs soviétiques qui ont mis au point le principe de la photographie Kirlian opérant sous de champs de haute fréquence électrique, il est désormais possible de prouver l'existence du corps second de l'homme, ce « corps astral », cette « aura » qui n'était auparavant visible qu'aux médiums et aux clairvoyants.

On ne peut donc plus nier aujourd'hui que le corps extérieur visible de l'homme est pénétré par un autre corps énergétique. Déjà, au moyen âge, Paracelse parlait d'un « corps astral » miroir du corps physique. Ce concept de l'aura humaine existe depuis des millénaires. Nous le rencontrons également dans les anciennes représentations grecques et romaines.

C'est ce « corps fantôme » qui survit après la mort et qui, comme le démontrent des recherches récentes, possède la faculté de communiquer aussi bien avec les morts qu'avec les vivants. Est-ce la cinquième théorie de l'immortalité développée par le chercheur Ducasse selon laquelle la psyché des morts maintiendrait le contact télépathique avec la psyché des vivants? Ainsi, la faculté de communication télépathique persisterait après la mort.

La contribution la plus sérieuse de l'Union soviétique à la recherche internationale se situe dans le domaine de l'hypnose télépathique. Le Dr Milan Rýzl, que nous avons déjà cité à plusieurs reprises et qui s'est distingué à la fois comme parapsychologue, écrivain et professeur aussi bien dans les pays de l'Est qu'en Occident après sa fuite spectaculaire de la Tchécoslovaquie, en a été l'un des grands pionniers. Mais les recherches et les expériences dans le domaine de l'hypnose à distance sont loin d'être terminées.

Le Polonais Manczarski, chef de l'équipe polonaise durant l'année géophysique internationale (1957) qui est le seul Polonais à avoir publié le résultat de ses travaux sur l'ESP depuis la deuxième guerre mondiale, en est venu à la conclusion que la télépathie se produit par des ondes qui peuvent être amplifiées comme des ondes radio et utilisées quotidiennement.

La fonction interdimensionnelle des neutrons

Les neutrons pourraient jouer un rôle important dans la transmission de pensée ainsi que dans d'autres processus paranormaux.

Les neutrons sont de petites particules omniprésentes dans l'univers et qui, par conséquent, pénètrent tout et relient tout.

Le phénomène des neutrons n'a pas encore été élucidé. Certains chercheurs sont convaincus que la gravité est attribuable aux neutrons. Le savant atomique Pontecorvo tient les neutrons pour des particules qui proviennent d'une autre dimension. Il croit qu'ils sont émis par les anti-astres d'un anti-monde.

Cette hypothèse, reliée au concept de Jacques Bergier selon lequel les neutrons sont le moteur des processus parapsychologiques, pourrait être la clé du secret de la communication entre la dimension des vivants et celle des morts. Les neutrons véhiculeraient les ondes mentales non seulement entre les humains, les animaux et les plantes, mais aussi entre les morts, l'«anti-monde» de Pontecorvo.

Autant que nous sachions, les neutrons sont les particules les plus simples de la matière. On les identifia en 1958 comme des particules élémentaires électriquement neutres et ne possédant pratiquement pas de masse, selon nos systèmes de mesure. Ils sont le résultat du processus de fusion dans le soleil et voyagent du soleil à la terre à la vitesse de la lumière, c'est-à-dire en huit minutes.

Comme au centre du soleil, les neutrons sont libérés par la désintégration de l'atome, la fission ou la fusion nucléaires. Les neutrons peuvent donc être créés de différentes manières, autorisant ainsi l'hypothèse de Pontecorvo.

Le fait qu'on puisse s'initier à la télépathie, mais qu'on ne puisse maîtriser ni cette faculté ni les autres pouvoirs paranormaux, est significatif.

La télépathie est un phénomène fréquent chez les peuples vivant encore à l'état primitif. Ceci autorise à croire qu'il ne s'agit pas d'une faculté apprise, mais innée, aussi vieille que le genre humain et que le cosmos. La télépathie apparaît aujourd'hui comme l'une des planches de salut de l'humanité.

Quoi qu'il en soit de toutes les hypothèses, il en est une qui est à notre avis incontestable :

Il se révélera un jour que l'être humain possédant deux corps, l'un physique, l'autre spirituel, est pourvu de toutes les facultés propres à en faire un citoyen de deux mondes, de deux dimensions distinctes, dont l'une est celle de l'immortalité.

CHAPITRE VII

Des médiums célèbres racontent : « J'ai la vision seconde »

Comment ils découvrirent leurs talents;
Comment ils expliquent le phénomène parapsychologique
de la clairvoyance

Nous avons souvent dit dans ce livre que la nature a donné à tout individu, dès sa naissance, le don de la clairvoyance qui lui permet de voir au delà des barrières du temps et de l'espace. Mais peu d'entre nous découvrent leur don et cultivent cet instinct hautement développé qui libère notre intuition et nous avertit en cas de danger. Certains d'entre nous ne sont clairvoyants qu'une ou deux fois au cours de leur vie; d'autres jouissent de la vision seconde — ou la subissent — pendant quelques mois ou quelques années.

Sur tous les continents, il y a des médiums célèbres que l'on consulte à cause de leurs facultés parapsychologiques. Nous avons demandé à certains d'entre eux comment ils prirent connaissance de leur don et comment ils l'expliquent.

Madame Buchela
Victoriabergweg

« Ma première vision :
je vois mon frère mort »

Une vie longue et accablante — Le mystérieux « quelque chose »

« Je ne saurais dire si je suis née clairvoyante. J'eus la vision seconde pour la première fois lorsque j'étais enfant. Je vis alors devant moi mon frère ; je ne sais si je rêvais ou si j'avais une vision ; il gisait par terre, ensanglanté, mort. Lorsque je le racontai à ma mère, elle me gronda. Quelques jours plus tard, mon frère mourut vraiment, renversé par une voiture, blessé mortellement, exactement comme je l'avais vu. Ma mère me dit alors : « Ainsi donc, tu le possèdes, ce mystérieux 'quelque chose'. » À cette époque, je ne compris pas ce qu'elle voulait dire.

« Pourquoi on le porte en soi ? Vraiment, je ne saurais le dire. Qu'il y eut dans l'héritage génétique de ma mère slave ou de mon père hongrois (gitan), ou dans la conjugaison des deux, le germe de ce 'quelque chose', un psychologue orienté vers la biologie pourrait peut-être le calculer ou en trouver les causes.

« Un jour, une gitane espagnole vint me voir. Elle venait de loin pour m'observer pendant mon travail. Lorsqu'elle m'entendit parler et me vit travailler, elle trembla ; à la fin, elle pleura : « Vous l'avez, vous l'avez encore — ce ... Ça ! Et moi, je ne l'ai plus. Tout ce que je prédis maintenant devient du non-sens. Rien de ce que je prédis ne s'accomplit plus. Je l'ai perdu. » Pendant dix-sept ans, elle était une des meilleures clairvoyantes de Madrid. Et soudainement, un jour elle perdit ses dons, sans qu'elle put dire pourquoi, sans que rien de particulier ne se soit produit. Du moins, elle n'aurait pas pu dire pourquoi tout finit du jour au lendemain.

« Je vous raconte tout cela pour vous faire comprendre que je n'y suis pour rien d'être ou d'être devenue clairvoyante. Et que la personne qui possède aujourd'hui la faculté de regarder au-dessus du grand mur ne peut être sûre de pouvoir le faire demain ».

Agent-percipient ? Une tentative d'explication

Madame Buchela en dit :

« Pour vous dire la vérité, je ne sais pas moi-même pourquoi je suis clairvoyante et pourquoi certaines personnes me regardent d'un air surpris ou épouvanté quand je leur décris des événements du passé ou du présent qu'eux seuls sont en mesure de connaître.

« Des scientifiques me disent que je suis réceptrice d'ondes mentales émises par autrui, comme une radio ; que je suis un ordinateur qui capte et combine les pensées, les désirs, les espoirs, les craintes et les secrets des autres pour ensuite leur fournir le résultat sous forme de pronostic, de prophétie, sans savoir pourquoi. Que la prédiction se réalise presque toujours serait dû au fait que tout doit se dérouler selon ce que l'être humain porte déjà en soi. Il est possible qu'il en soit ainsi.

« Au cours des années, j'ai constaté que le meilleur contact entre moi et les personnes qui viennent me voir est le contact personnel ; s'il est exclu, une photo récente avec une signature peut le remplacer à condition que la photo soit vraiment très récente et que la signature ne date que de quelques jours, c'est-à-dire ne précède pas les questions qui me seront posées. Cela pourrait peut-être s'expliquer par le fait que je dois saisir l'individu dans son 'espace-temps actuel', pour pouvoir lui prédire ce qui se produira dans l'avenir, au delà de la ligne de démarcation de l'espace-temps actuel.

« Je crains de ne pouvoir me faire comprendre clairement par tous. Mais quant à moi, je sais exactement à quoi je me réfère quand je parle du temps qui soudainement s'évanouit sous mes mains. Cette fuite du temps est pour moi le fait le plus important. C'est tout le secret de la vision seconde, de la manipulation du concept du temps : en avant, en arrière, aujourd'hui, hier, demain. »

Jeane Dixon
U.S.A.

« La Cassandre de Washington »

Des visions d'une clarté effarante — «J'écoute la voix qui parle en moi» — Sauver la vie au mari

L'enfant disait vrai

«Mon père et ma mère sont originaires de l'Allemagne. Ils vinrent passer leur lune de miel et restèrent ensuite en Californie. Bien que nous soyons la première génération établie en Amérique, je crois pouvoir affirmer que personne parmi mes aïeux de la famille Pinkert, ne possédait le don de clairvoyance. Selon moi, ce don n'est pas nécessairement héréditaire; c'est Dieu qui nous le donne. Ma mère décela quelque chose d'insolite chez moi dès que je fus capable de parler. Je lui affirmai un jour que mon père m'apporterait un chien à son retour de voyage. Il n'en avait jamais été question auparavant. Nous vivions alors à Santa Rosa en Californie et mon père était à Chicago. Il m'apporta un chien Collie d'un type rare, noir et blanc, exactement comme je l'avais décrit.

«À un autre moment, je demandai à ma mère ce qui en était d'une certaine enveloppe 'entourée de noir'. Personne n'avait vu une telle lettre. Dix jours plus tard, un faire-part venant d'Allemagne nous apprit le décès de mon grand-père. Ma mère me regarda d'un air surpris et soucieux. Elle se rendit compte que je disais vrai et qu'il ne s'agissait pas d'histoires qu'un enfant à l'imagination très vive peut raconter.

«Cela se sut bien vite dans le voisinage et je n'avais pas encore dix ans que des amis, des connaissances et bientôt des étrangers vinrent me voir. Je me souviens très bien d'une élégante jeune dame qui me demanda à moi, fillette de huit ans, si elle devait abandonner sa carrière théâtrale et ouvrir une maison de pension. Je vis alors beaucoup de billets de cent et de mille dollars et lui dis de rester actrice. Marie Dressler m'affirma souvent par la suite que c'était à moi qu'elle devait sa carrière fulgurante. Mais ce n'est pas vrai. Elle serait devenue célèbre de toute façon. »

L'avion s'écrasa

« Je me suis mariée peu avant la deuxième guerre mondiale. Mon mari, James L. Dixon, était au courant de mes dons. Mais ce ne fut qu'après que je lui eus sauvé la vie qu'il en fut entièrement convaincu. Il était en train de préparer ses valises pour un voyage à Chicago lorsque je vis clairement l'écrasement d'un avion et le suppliai de prendre le train au lieu de l'avion. Malgré toutes ses objections, je ne me laissai pas convaincre du contraire et il accepta en fin de compte de souffrir une perte de temps en prenant le train. L'avion sur lequel il avait réservé une place s'écrasa peu avant Chicago ; il n'y eut aucun survivant.

« Je ne fais qu'écouter la voix qui parle en moi, mais la plupart des gens ne veulent pas me croire. Parfois, je n'ai qu'à toucher le bout des doigts d'un visiteur pour savoir immédiatement ce que lui réserve l'avenir.

« Les visions qui me viennent par surprise et sans que je m'y attende sont pour moi les plus importantes et les plus significatives. Pendant ces visions, tout change autour de moi, même l'air. Je me trouve alors seule dans un endroit surélevé et je regarde en bas. Rien ne peut m'atteindre, personne ne peut m'approcher. Ces visions dépassent très souvent l'avenir immédiat. »

Pasqualina Pezzola
Ancona

« Mon âme peut être ici et ailleurs »

La femme la plus mystérieuse d'Italie — Changements d'états et de lieux — Figée par l'horreur

« Je souffre de mon don ! »

« Un jour, le docteur Giuseppina Mancini-Spinucci de Rome me consulta parce qu'elle ne pouvait établir le diagnostic d'un cas difficile. Pour l'aider, j'ai laissé voyager mon âme à travers l'espace et trouvé ainsi la clef de la souffrance qui permet ensuite de donner des conseils pour la guérison du malade.

« Pour pouvoir donner des conseils, j'ai besoin du nom et de l'adresse de la personne sur laquelle on veut se renseigner. Par un effort extrême de concentration, je parviens à un état qui ressemble à la transe et donne à mon âme la possibilité d'entreprendre de longs voyages. Quand je suis dans cet état, on peut me battre, me pincer et me piquer avec des aiguilles, je ne sens rien. Au cours des vingt dernières années, je me suis trouvée environ quatre mille fois dans cet état qui ressemble à un spasme. Après le réveil, je suis en mesure de décrire le lieu où se trouve la personne en question et de donner des indications sur son état de santé et son comportement en général.

« Je ne considère pas ce don comme une faculté surnaturelle ou un don divin. J'en souffre, voilà tout. »

L'homme était mort

« Des médecins et des psychologues se sont évidemment penchés sur mon cas. On a essayé à plusieurs reprises de me tromper ou de m'amener à faire des déclarations qui auraient prouvé clairement qu'une faculté de combinaison subtile, consciente ou inconsciente, entrait en jeu, que je captais peut-être les ondes mentales de ceux qui me consultent. L'être humain refuse simplement de voir ce qu'il y a de mystérieux entre ciel et terre aussi longtemps qu'il n'admet pas le surnaturel chez lui.

« Un jour, on écrivit le nom d'une personne sur un bout de papier. À mon réveil, on me dit que j'avais crié à haute voix pendant la transe. J'étais en même temps figée par l'horreur et tremblais d'épouvante. J'avais vu clairement l'individu devant moi. L'homme était mort. Il était enterré dans un cimetière aux abords de Rome. Sur sa tombe, au bout d'un long sentier étroit, il y avait une croix de bois. On sut par la suite que l'homme était effectivement mort. »

Madame Soleil
Paris

Une soif de s'instruire exceptionnelle

« Il est évident que mon comportement actuel est intimement lié à la vie de mon enfance. J'étais tellement avide d'apprendre et j'avais une telle fièvre de connaître le monde qui m'entourait que, dès l'âge de trois ans, j'étais capable de lire. Très vite, je mis les livres d'enfants de côté et commençai à lire les livres scientifiques de mes frères aînés. Le soir, mon grand-père qui était fasciné par l'astronomie m'initiait à l'histoire des constellations.

« À neuf ans, j'eus ma première vision. Nous habitions dans un petit village situé à proximité de Blois. J'allais souvent me promener dans le cimetière qui se trouvait aux abords de la ville. Le calme de ce cimetière ainsi que ses nombreuses fleurs me fascinaient. Un jour où je m'y trouvais, un orage éclata, un orage violent et sec qui m'impressionna beaucoup. Subitement j'eus l'envie d'extirper de mon être toutes les connaissances accumulées jusque-là. Je reconnus le système solaire, vis la naissance des planètes et compris qu'elles consistaient d'abord en un état gazéiforme qui va s'épaississant pour devenir enfin une masse solide.

« À dix-sept ans, j'eus ma deuxième vision. Par une belle journée de printemps, je bavardais gentiment et joyeusement avec quelques amies de mon âge. Soudain, l'une d'elles m'apparut entourée de flammes. Sans me rendre compte clairement de ce que je disais, je m'écriai : « Tu seras brûlée vive ». Quelques mois plus tard, en manipulant un réchaud à alcool, elle mit le feu à ses vêtements et fut brûlée mortellement au point qu'elle ne put être sauvée.

« Cet événement, qui m'a fortement impressionnée, a influencé mon avenir. »

À la recherche d'une explication de la voyance

« Je veux, une fois pour toutes, établir que l'on emploie ce terme pour différentes choses :

— pour la télépathie (transmission d'impressions d'un sujet à un autre) ;
— pour la prémonition (annonce d'un événement futur) ;
— pour la psychométrie (indice de la connaissance au contact d'un objet).

« Dans tous les cas, l'expression « voyance » est équivoque et induit en erreur celui qui n'est pas habitué à l'hypothèse que la connaissance provient de symboles et d'images. Par ailleurs, il est rare que j'accomplisse quelque chose de visible.

« Voilà comment on décrit la voyance que je préfère nommer connaissance intuitive. C'est un vaste monde pour ceux qui, jusqu'à présent, n'ont pu encore pénétrer les secrets de la science. »

Hakim
Paris

«Voyance»
Pour moi c'est une tradition

Première expérience vécue et première vision — Prédiction à l'âge de 5 ans : «Tu ne te marieras pas».

Héritage du passé

«Je n'avais pas encore découvert avec certitude que j'étais voyant car, pour le commun des mortels, ce n'est pas une révélation qui frappe comme la foudre. Je suis né à Tunis d'une mère syrienne et d'un père hindou. La plus grande partie de ma famille est hindoue.

«La voyance — je préférerais l'appeler «vision extralucide» — fait partie de notre personnalité et est ancrée en nous dès la plus tendre enfance. La faculté de perception est pour ainsi dire héréditaire dans notre milieu.»

Il vivait la nuit comme un savant

«Je possède le manuscrit d'un ancêtre qui, d'après mes calculs, aurait vécu au XVe siècle et aurait écrit ses pensées pour ses descendants. Il était fermier dans le territoire de Delhi et se consacrait d'une façon permanente à la méditation. La nuit tombée, il vivait comme un savant. On comprendra aisément que la nuit, propice à la méditation, le rendait plus apte à pressentir les événements. En outre, la nuit lui procurait la solitude dont il avait besoin pour saisir et interpréter les signes de la nature.

«On sait que de nombreuses prédictions de médiums reposent sur les manifestations de la nature. Par exemple, sur le vol d'un oiseau ou les effets du vent sur une mer calme.

«Ainsi, de génération en génération, notre peuple perpétua l'art de la prédiction.

« Je dois préciser que dans toute famille, à chaque génération, seul un homme reçoit le pouvoir d'étudier et d'interpréter l'avenir et c'est à moi que fut transmis ce don de répondre aux questions concernant l'avenir de mon entourage. Deux souvenirs de telles prédictions sont restés gravés dans ma mémoire.

« Première vision : à l'âge de cinq ans une jeune fille me demanda avec insistance de lui prédire son avenir. Je lui dis : « Tu partiras et iras très loin d'ici. » Quelques semaines plus tard, elle rencontrait un jeune Japonais qui l'épousa et l'emmena vivre dans son pays.

« À l'âge de sept ans : quelques jours avant son mariage, une de mes cousines remarquant ma tristesse voulut en connaître la raison. « Tu ne te marieras pas », lui dis-je. De fait, une semaine plus tard, au jour prévu pour son mariage, son fiancé perdit la vie dans un accident. Je n'essayai pas d'expliquer la pensée qui m'avait effleuré au moment de cette vision. »

Mme Marie Védrine
Paris

Habitée par un autre être

« Souvent, une voix intérieure me disait : L'invisible me rappelle à l'ordre. »

Adversaire des sciences occultes

« Je suis d'une famille lyonnaise dont les membres étaient de fervents catholiques et refusaient d'aborder les sciences occultes. Pourtant, mes parents possédaient une certaine « voyance » mais ils luttaient contre cette tendance. Pour ne donner qu'un exemple : mon père qui s'était toujours intéressé à des inventions rêva une nuit d'un mécanisme, pour une machine à café, qui semblait vraiment révolutionnaire. À son réveil, je lui dessinai le modèle qu'il avait vu en rêve et en fabriquai un exemplaire. Celui-ci se révéla si intéressant que mon père obtint un brevet d'invention pour sa machine à café. Peu de temps après, son modèle fut exposé à la foire commerciale de Lyon et il obtint un tel succès qu'il inonda le marché français. »

L'opinion d'un radiesthésiste

« Dans mon cas, on peut définitivement parler d'un héritage. J'avais moi-même des visions dans ma jeunesse. J'avais souvent le sentiment étrange qu'un autre être m'habitait. Quand je prononçais une phrase, il me semblait qu'elle ne venait pas de moi mais que quelqu'un d'autre me la dictait. À vingt ans, je souffrais de violents maux de tête accompagnés d'étranges hallucinations. Je voyais des roses rouges, un éclair fulgurant, un oiseau, un visage, etc... Je consultai un médecin mais il ne découvrit rien d'anormal. Alors j'allai voir un radiesthésiste qui me dit : « Vous êtes voyante. Si vous pouvez mettre votre talent en pratique, vos maux de tête disparaîtront. »

« À partir de ce moment, je commençai à pratiquer gratuitement dans mon entourage immédiat. C'est seulement beaucoup plus tard que je pris la décision d'exercer mon talent professionnellement.

Boule de cristal et verre à eau

« Je serre la main gauche de mon client. Ce contact fait surgir en moi des visions que je dois interpréter et qui sont très souvent symboliques. Par exemple : quand je vois des roses fanées, je sais qu'il s'agit d'un amour qui se meurt. Un ciel étoilé signifie pour moi une vie calme et bien remplie.

« Je travaille également à l'aide de photos, des lignes de la main et de l'écriture. Il m'arrive aussi de prendre un verre d'eau claire que je verse dans une boule de cristal. J'observe la surface de l'eau et cette attention soutenue fait surgir ma voyance. Cependant, je n'utilise cette méthode que très rarement car elle m'épuise. J'observe aussi les astres, spécialement quand il s'agit de régler des problèmes d'amour et de couples. Quand des amoureux viennent me voir, je fais leur horoscope et peux alors les conseiller en fonction de la place occupée par les planètes. »

Un don acquis lors d'une vie antérieure

« Je ne peux expliquer ce don de voyance, je sais seulement que je le posséde. Il est en moi. Peut-être l'ai-je hérité de ma vie antérieure. Je crois que l'on doit subir certaines épreuves pour mériter un tel pouvoir. J'ai remarqué qu'après une période de malchance, ma voyance s'est toujours améliorée et que j'avais une meilleure compréhension de la souffrance humaine. Au début, j'étais grisée par mon pouvoir. C'était une erreur grossière car l'invisible nous rappelle à l'ordre en nous faisant subir une nouvelle épreuve. C'est ce qui m'est arrivé; cela m'a amené à réfléchir et m'a permis de sortir de l'épreuve mieux armée et plus mûre. »

Madame Dorothy Moore
Cannes

Le phénomène des voix intérieures

Prophétesse à trois ans : « Tu mourras bientôt » — Un récit de guerre

Prédiction d'un enfant

« Ma grand-mère fut un médium célèbre tout comme mon père. J'avais environ trois ans quand on découvrit que je possédais également ce don.

« Par une journée de printemps de l'année 1914, mes parents m'avaient amenée chez mon grand-oncle. Celui-ci avait fait l'impossible pour bien nous recevoir ; il avait débouché une bouteille de cidre et dans sa précipitation fit une tache sur ma nouvelle robe. Je n'étais nullement furieuse. Cependant, je lui annonçai d'un ton assuré : « Mon oncle, tu mourras bientôt ». Mes parents étaient à la fois consternés et embarrassés, mais il ne me grondèrent pas car dans ma famille on respectait tout ce qui touche à la voyance. Deux mois plus tard, mon oncle mourut.

« Ma deuxième prédiction, je la fis un peu plus tard au moment de la première guerre mondiale. À cette époque, ma grand-mère, ma mère et moi vivions aux environs de Noyon. L'invasion allemande avait été si rapide que nous n'avions pas eu le temps de fuir. Nos maigres provisions étaient épuisées. Nous vivions dans une cave, rongées par la faim, épouvantées et abasourdies par le bruit des canons et des bombes. Une amie de la famille avait cherché refuge chez nous. Un jour, incapable de supporter plus longtemps cette réclusion, elle voulut sortir dans la rue. Du même ton que j'avais annoncé la mort de mon grand-oncle, je lui dis : « Ne sors pas ou tu mourras ». Elle ne prit pas mon avertissement au sérieux ; à peine avait-elle franchi le seuil qu'elle fut abattue par une pluie de balles.

Autrefois, c'était l'instinct

« Je crois que la voyance est une voix intérieure que nous pourrions tous entendre plus ou moins bien si nous nous en donnions la peine. Cette voix doit nous guider. Nos ancêtres l'entendirent vraisemblablement quand ils étaient à la recherche de nourriture. Pour eux, c'était l'instinct ; pour nous qui sommes plus évolués, c'est l'intuition, c'est-à-dire la faculté de deviner, de pressentir, sans l'aide du raisonnement au contraire de la logique scientifique qui, elle, est guidée par le raisonnement. Ce qui explique que des gens sans la moindre formation sont capables d'impressionner leur entourage par des discours qui, dans bien des cas, ne feraient pas rougir les plus grands savants.

« Ce phénomène de l'intuition explique pourquoi de jeunes enfants sont en mesure de révéler des faits que leur intelligence ne peut pas comprendre. Comme je l'ai déjà mentionné, je n'avais que trois ans lorsque j'ai vécu mes premières expériences d'extralucide. »

Mario de Sabato
Paris

Je fis ma première prédiction dans un abri

Soudain une bombe éclata : «Il sera un homme célèbre»

Talent de devin dès son enfance

«Mon enfance ne s'est pas déroulée normalement parce que dès l'âge de trois ans, je fus confié à une mère nourricière. Quatre ans plus tard, je fis une prédiction inusitée.

«Pendant la guerre, on avait construit derrière notre maison, située à la limite de Bordeaux, un abri rudimentaire pour nous protéger, nous et nos voisins, des attaques aériennes. Une nuit, en 1940, je commençai subitement à trembler de peur, à pleurer et à supplier toutes les personnes rassemblées dans l'abri de sortir. Mon obstination leur inspira une telle crainte que tous quittèrent l'abri qui, un instant plus tard, s'écroula sous une bombe. Nous en sommes tous sortis indemnes.

«En 1944, lors d'une fête populaire, une bohémienne, une voyante espagnole, m'aborda. Elle voulait me prédire l'avenir en lisant dans les lignes de ma main. Tout à coup, elle s'écria : «Tu as le don, oui c'est extraordinaire, tu l'as». Et tandis que tout le monde se pressait autour de moi, elle s'écria : «Écoutez bien, habitants de cet endroit, vous avez un enfant prédestiné devant vous. Il deviendra un prophète de renommée mondiale. Il voyagera beaucoup, on le recevra dans des palais, il sera appelé par les princes et les chefs d'État ou ils viendront à lui, dans sa maison qui sera située au cœur de Paris.»

Trois dangereux écueils

« À dix-huit ans, je prédis que dans l'avenir j'aurais à surmonter trois dangereux écueils. En 1957, ma vie ne tint qu'à un fil à la suite d'une appendicite. Un mois plus tard, je fus atteint d'une fièvre rhumatismale et finalement terrassé par une attaque cardiaque. Tout se passa exactement comme si une voix intérieure me l'avait prédit.

« Un an auparavant, j'avais fait ma première prédiction de mort : j'aidais des amis à faire la moisson quand soudain le temps se fit menaçant. Pendant que nous cherchions un refuge à l'abri de l'orage, je m'amusais à lire dans les lignes de la main des femmes et des jeunes filles. Fait étrange, je trouvais dans toutes ces mains le signe d'une mort imminente. Intérieurement, je fus très effrayé par ce présage qui allait bientôt devenir une tragique réalité. Le lendemain, le maître de la maison fit une longue promenade dans son domaine et se pendit à un châtaignier qui se trouvait à quelques kilomètres de la maison. »

Un film qui se déroule

« À mon avis, la voyance est une chose qui ne s'apprend pas; c'est un phénomène qui ne s'explique pas et qui ne fait l'objet d'aucune règle. Les événements futurs m'apparaissent comme si un film se déroulait sous mes yeux. Les images sont réelles, les symboles peu fréquents. Quand je veux expliquer ces derniers à ceux qui me demandent conseil, une voix intérieure se fait entendre aussitôt pour me mettre en garde contre la possibilité d'une fausse interprétation. Cette voix, je l'entends au moment même où je parle. J'ai cherché en vain son origine mais cette force supérieure qui est en moi est bien présente et je ne peux l'expliquer. »

Monsieur Manteia
Toulouse

Le prophète d'une ère nouvelle

Écrivain et poète mystiques — «Je veux devenir prêtre»

Des hommes d'État lui rendent visite

«Je suis fils d'un marchand ambulant et d'une bohémienne; mon grand-père était un guérisseur réputé. Dès l'âge de sept ans, mes qualités d'extralucide étonnaient mon entourage. Je voulais devenir prêtre. Après avoir obtenu ma licence en théologie, je fis mon service militaire. Aussitôt après, mes qualités de voyant m'ont décidé à ouvrir un cabinet dans le but d'aider ceux qui ont besoin de conseils. Déjà en 1953, ma renommée s'étendait à tout le pays et elle se propageait au delà des frontières dès l'année 1960.

«Aujourd'hui, des hommes d'État et des personnalités bien connues du monde entier me rendent visite. Lors du congrès des sciences supranormales qui eut lieu aux États-Unis, je fus désigné comme «grand voyant» en présence de 300 journalistes. Je permis aux autorités judiciaires d'utiliser mes prédictions relatives aux causes criminelles. On m'a affirmé que ces prédictions ont contribué à éclairer ces causes dans des proportions pouvant atteindre 95 pour 100.

«Grâce à la radio, à la télé et à la presse, mon talent fut reconnu tant à l'intérieur qu'à l'extérieur du pays.»

IMPRIMERIE
L'ÉCLAIREUR
BEAUCEVILLE

8960